CW00435644

COLLECTION FOLIO

Laura Alcoba

Le bleu des abeilles

Gallimard

© *Éditions Gallimard, 2013.*

Romancière, traductrice et éditrice, Laura Alcoba a vécu en Argentine jusqu'à l'âge de dix ans. Elle a déjà publié aux Éditions Gallimard *Manèges: Petite histoire argentine*, traduit dans de nombreux pays, *Jardin blanc*, *Les passagers de l'*Anna C. et *Le bleu des abeilles*.

« Pour voir le bleu, nous regardons le ciel.

La terre est bleue aux yeux de qui la regarde du ciel.

Le bleu est-il une couleur en soi, ou une question de distance ?

Ou une question de grande nostalgie ? »

Clarice LISPECTOR
La découverte du monde

Sous mon nez

Le point de départ de mon voyage se trouve quelque part sous mon nez.

J'étais encore en Argentine quand je me suis mise en route. Je ne sais plus si c'est mon grand-père qui m'a annoncé que j'allais bientôt prendre des cours de français — peut-être est-ce ma grand-mère ou encore l'une de mes tantes. Le fait est qu'un adulte m'a dit que j'allais bientôt commencer et qu'il faudrait même que j'avance vite si je ne voulais pas être complètement perdue à mon arrivée à Paris. Mon départ était proche et je devais m'y préparer. *Dans deux ou trois mois, tu vas rejoindre ta mère.*

À La Plata, j'ai d'abord appris à répondre en français à des questions simples — *comment t'appelles-tu ? quel est ton âge ?* — puis à poser à mon tour ces mêmes questions à des camarades imaginaires. En prenant bien soin, à chaque fois, de faire des variations à partir des nouveaux mots que j'avais acquis. C'est une des premières choses que m'a conseillées Noémie, mon professeur de français.

— Je suis sûre que tu peux poser la même question autrement, réfléchis un peu, me disait-elle en espagnol.

— Mmmm… *toi aussi, tu as huit ans?*

— Très bien!

Avec Noémie, j'ai découvert des sons nouveaux, un *r* très humide que l'on va chercher tout au fond du palais, presque dans la gorge, et des voyelles qu'on laisse résonner sous le nez, comme si on voulait à la fois les prononcer et les garder un peu pour soi. Le français est une drôle de langue, elle lâche les sons et les retient en même temps, comme si, au fond, elle n'était pas tout à fait sûre de bien vouloir les laisser filer — je me souviens que c'est la première chose que je me suis dite. Et qu'il allait me falloir beaucoup d'entraînement, aussi.

Assez vite, Noémie m'a montré des caractères que je n'avais jamais vus, l'accent grave et le circonflexe, et puis le *c* cédille. Ce nouveau signe, plus que les autres, je l'ai tout de suite aimé: à La Plata, je m'entraînais sur des petits bouts de papier, dans les marges blanches des journaux ou au dos d'enveloppes vides, à écrire ce simple mot: *français*, et parfois des *c* cédille seuls, collés les uns aux autres, *ççç*, et qui formaient une sorte de chaîne ou de sillon. C'était une manière de patienter avant un départ que je croyais imminent.

Ma mère s'était réfugiée en France au mois d'août de l'année 1976 et mon attente à La Plata ne devait être qu'une brève parenthèse avant de la retrouver de l'autre côté de l'océan. Mais les mois ont passé, puis une première année, sans que je quitte La Plata. *Moi, j'ai neuf ans. Et toi ?* — telle était, désormais, la question que je posais à Noémie.

Quand j'étais encore à La Plata, j'allais voir mon père en prison tous les quinze jours, un jeudi sur deux — là-bas, le jeudi est le jour prévu pour les visites, on n'a pas le choix. Elles ont lieu l'après-midi et durent en réalité assez peu de temps, mais même si la prison se trouve aussi à La Plata et que ces visites ont lieu à heure fixe, ça prend toute la journée. C'est qu'avant la visite, il faut faire la queue devant la prison. Puis c'est la fouille devant une dame qui demeure silencieuse tandis que celles qui sont sous sa surveillance se déshabillent, comme nous l'avons si souvent fait ensemble, côte à côte, ma grand-mère et moi. Si la dame en question garde le silence, c'est parce qu'elle suppose que celles qui passent dans sa cabine savent depuis longtemps déjà ce qu'elles ont à faire avant d'être palpées. Et elle a bien raison. De leur côté, les hommes sont soumis au même traitement par des gardiens qui demeurent tout aussi silencieux, je suppose. Puis vient une autre file d'attente, à l'intérieur de la prison, cette fois, avant qu'on n'emprunte un couloir et qu'on se range les uns derrière les autres, par familles et toujours en silence, dans une autre file, devant une grande grille. À cet endroit, il arrive que quelqu'un vous palpe encore, même si on a déjà eu droit à une fouille minutieuse quand on était en petite culotte devant la dame — mais cette deuxième fois, la fouille est bien plus rapide, elle dure à peine quelques instants. C'est comme un réflexe qu'ils ont là-bas, ils palpent juste pour voir. Puis il y a cette autre grille qu'il faut encore franchir et enfin une porte. Pour passer cette dernière étape, comme toutes les autres, il faut toujours que les hommes à mitraillette le veuillent bien, ce qui peut parfois prendre beaucoup de temps. C'est pour cela que, lorsque j'étais encore à La Plata et que j'allais voir mon père en prison, j'étais souvent absente à l'école — toujours le jeudi. Pourtant, personne ne me posait de questions, pas plus ma maîtresse que mes camarades de classe. Un jeudi sur deux, je disparaissais, voilà tout.

Quand j'arrivais jusqu'à lui, mon père me parlait souvent de ce voyage que j'allais bientôt faire et pour lequel je devais me préparer. Il disait qu'après mon départ nous allions nous écrire, mais qu'il faudrait le faire régulièrement, une fois par semaine au moins, pour que, sur le papier, nous menions une sorte de conversation. Je me sentais prête, oui, j'écrirais. Un jeudi sur deux, je renouvelais ma promesse.

Ce départ me faisait peur, parfois. Pourtant, j'en avais aussi très envie. Je n'allais plus disparaître le jeudi pour aller voir mon père. Mais c'est que j'avais hâte de revoir ma mère qui était en France depuis longtemps déjà. Toujours plus longtemps. *Il y a un problème de papiers, mais tu vas bientôt la rejoindre, ça ne va pas tarder.* On ne cessait de me le répéter, pourtant ça ne venait jamais.

Noémie est brune, elle a de longs cheveux et un grain de beauté presque à la commissure des lèvres, légèrement au-dessus de la bouche. Un grain de beauté que j'ai immédiatement associé au français, cette langue que je voulais faire mienne, avec ses voyelles tapies sous le nez. Dès mon premier cours à La Plata, j'ai suivi les mouvements de la petite tache brune, postée juste au-dessus des lèvres de Noémie, avant de répéter à mon tour les sons et les mots qu'elle avait accompagnés. C'est comme ça, à La Plata, grâce à Noémie et à son grain de beauté que, même si mon départ était toujours différé, je me suis mise en route. Quelque part sous mon nez.

Noémie et son grain de beauté passaient deux soirs par semaine chez mes grands-parents pour m'aider à réussir le grand voyage que je devais faire *bientôt, très bientôt, cette fois-ci, ça approche.* Après les jolis caractères et ces questions auxquelles je devais répondre tout en enchaînant sur mes propres variations, Noémie m'a appris des chansons, *Au clair de la lune*, d'abord, puis *Frère Jacques*. À La Plata, mon professeur pensait que ce répertoire était essentiel à ma future *intégration*, comme elle disait tout le temps. *Pour t'intégrer, tu dois savoir chanter tout ça.* À la claire fontaine, *aussi.*

Mais mon voyage était toujours repoussé, alors Noémie s'est dit que j'avais peut-être le temps de poursuivre mon apprentissage avec l'aide d'un manuel. C'est dans ce premier livre français que j'ai appris qu'ici, en France, tous les chiens s'appellent *Médor*, et les chats *Minet*. Et plein d'autres choses qui, à ce moment-là, me semblaient très utiles.

Jusqu'à la toute dernière séance, même si Noémie s'efforçait de me faire avancer dans le manuel, mon cours de français s'est ouvert sur le jeu des questions et des variations, suivi des rencontres avec des camarades imaginaires. *Toi aussi, tu as dix ans, pas vrai ?*

Noémie incarnait alternativement différents enfants, des personnages qui nous étaient devenus familiers, Marguerite, Catherine et Jean, des enfants dont nous avions, ensemble, imaginé l'apparence et l'histoire et qui, au fil des mois et des saisons, avaient bien voulu grandir au même rythme que moi. Marguerite avait un chien alors que Jean avait toujours aimé les chats. Quant à Catherine, ma préférée, elle voyait la Seine depuis la fenêtre de sa chambre et *même la tour Eiffel*. Au début, Marguerite, Catherine et Jean faisaient du *toboggan* et de la *balançoire*, puis de moins en moins, mais ils mangeaient toujours des *croissants* et des *crêpes au sucre* et ils avaient tous un grain de beauté au-dessus de la bouche. Ils ne se connaissaient pas entre eux mais moi je les connaissais très bien, nous nous rencontrions dans différents coins de Paris que Noémie m'apprenait à placer sur une carte. À chaque cours, dans la salle à manger de mes grands-parents, à La Plata, deux fois par semaine et durant près de deux ans, nous nous sommes transportées *là-bas* — c'est-à-dire *ici*.

Car un jour, je suis partie pour de bon.

C'était en janvier, dans les tout premiers jours de l'année 1979, il y a quelques mois à peine — ou une éternité, je ne sais plus très bien.

Presque vrai

Un jour, j'ai fini par rejoindre ma mère en France. Seulement, je ne suis pas allée vivre à Paris, comme on me l'avait tant dit, juste *à côté*.

Enfin, même dit comme ça, ce n'est pas tout à fait vrai.

On ne peut pas dire que Le Blanc-Mesnil se trouve à côté de Paris, en réalité c'est un peu plus loin. Parfois, j'ai même l'impression que c'est beaucoup plus loin.

C'est pourtant ce que j'ai raconté à ma copine Julieta dans la lettre que je lui ai envoyée, à peine arrivée. *Comme tu peux le voir sur mon adresse, je n'habite pas à Paris mais juste à côté.* J'ai écrit ça pour faire simple, d'abord, mais aussi parce que Paris, c'est la destination qui était prévue pour moi depuis longtemps, celle à laquelle je m'étais si longuement préparée. Si je lui avais écrit que pour arriver à Paris depuis Le Blanc-Mesnil il faut traverser Drancy, Bobigny et Pantin, je sais bien qu'elle aurait été drôlement déçue et qu'elle serait allée raconter à Ana, à Verónica et aux autres qu'en réalité je n'habite pas du tout à Paris. J'imagine qu'elle aurait même dit qu'avant de partir on m'avait raconté des histoires, que je m'étais fait avoir. Et puis, de toute façon, dire que je vis *à côté* de Paris, ce n'est pas vraiment faux, on peut dire que c'est *presque* vrai.

La dernière fois que nous nous étions vues, Julieta m'avait demandé de lui raconter *la torre Eiffel y Notredám* dès que je serais de l'autre côté de l'océan, *là-bas*. Alors, dans la lettre que je lui ai envoyée, j'ai glissé une carte postale où l'on voyait la tour Eiffel, puis je lui ai parlé de l'hiver et de la neige en plein mois de janvier — avec mes histoires de froid, de neige et de flaques glacées, j'étais sûre de faire mon petit effet à La Plata, au cœur de l'été austral.

Parfois, on a l'impression qu'il y a par terre des bouts de cristal ou de diamant, mais c'est juste la surface des flaques qui a gelé. D'ailleurs, il suffit de les fouler pour qu'elles se brisent en plein de petits morceaux. Quand on fait éclater les flaques en sautant dessus à pieds joints, après, on a l'impression de se tenir sur de tout petits bouts de miroir — voilà, à peu de chose près, ce que j'ai raconté à Julieta, en espagnol, dans ma lettre.

Julieta m'a répondu que grâce à ce que je lui avais écrit et à la jolie carte postale, elle avait parfaitement pu m'imaginer sous la tour Eiffel avec un bonnet de laine coloré, devant un parterre tout brillant *¡qué lindo!* comme c'est joli! Je dois dire que la réponse de Julieta m'a pas mal soulagée. Elle m'y voyait : c'était déjà ça.

À peine arrivée en France, j'ai aussi envoyé une lettre et une carte postale à Noémie. Pour elle, j'ai cherché une photo où l'on voyait les quais de la Seine, un endroit où elle m'avait souvent fait rencontrer nos personnages préférés, Catherine et sa grand-mère Marinette. Sur l'image que j'ai choisie pour Noémie, on voyait Notre-Dame derrière les boîtes ouvertes de quelques bouquinistes, là même où j'avais, pour la première fois, réussi à cacher, dans une même phrase, trois voyelles sous mon nez. Ce que j'avais fait d'une façon assez crédible, c'est du moins ce qu'avait semblé dire le sourire de Catherine aussitôt suivi de celui de sa grand-mère, sous le même grain de beauté. Je n'ai pas rappelé ce moment à Noémie, cette conversation sur les quais d'une Seine imaginaire et qui était restée dans mon souvenir comme mon premier exploit nasal, le moment où, à La Plata, chez mes grands-parents, sur la table de la salle à manger, je m'étais enfin mise en route. Mais j'espérais que, rien qu'à voir l'image que j'avais choisie pour elle, elle s'en souviendrait. Au dos de la carte, j'ai repris mon histoire de neige et de flaques d'eau sous une couche de cristal. Mais je me suis bien gardée de dire à Noémie que durant les premiers jours passés en France je n'avais pas compris grand-chose quand j'avais entendu parler français *pour de vrai*. Je ne lui ai pas dit non plus que dans mon immeuble il y a deux chiens, un berger allemand et un autre, tout petit et tassé, qui, tous deux, s'appellent Sultan. C'est qu'elle aurait été drôlement surprise. J'imaginais Noémie et son grain de beauté, devant un autre élève de français, penchés sur le manuel où l'on voit ces deux personnages, *le chien Médor* et *le chat Minet*, expliquer : *c'est comme ça qu'on appelle les chiens et les chats en France.* Alors lui parler des deux Sultan de mon immeuble… Je ne pouvais pas lui faire ça.

Ce qui est bien, avec les lettres, c'est qu'on peut tourner les choses comme on veut sans mentir pour autant. Choisir autour de soi, faire en sorte que sur le papier tout soit plus joli. La neige et le givre en plein mois de janvier, au moment même où à La Plata on asperge son visage d'eau fraîche pour supporter la moiteur de l'été, c'est vrai. Et les flaques d'eau glacées, brillantes comme des miroirs qui ne demandent qu'à être brisés en plein de petits morceaux, plus d'une fois, je les ai vues depuis la fenêtre de ma chambre — durant les longs mois d'hiver, dans les allées de la cité de la Voie-Verte, au Blanc-Mesnil, on aurait dit qu'elles dessinaient des chemins en pointillés.

Quartier latin

J'habite avec ma mère et Amalia dans un immeuble de quatre étages, cité de la Voie-Verte.

À La Plata, je n'avais pas imaginé les choses comme ça. Pas plus pour Le Blanc-Mesnil — et sa Voie que quelqu'un, un jour, a vue toute verte — que pour Amalia.

Amalia est petite et assez grosse, avec des cheveux rares qui arrivent toutefois à boucler, des cheveux d'une couleur indéchiffrable. Elle dit qu'elle a presque le même âge que ma mère mais elle a l'air plus vieille, bien plus vieille même. Il lui manque une dent, une des canines du haut, je crois. Ses dents du bas n'ont pas l'air d'être au complet, non plus. Ma mère vit avec elle car c'est toujours plus simple de payer un loyer quand on est deux, même au Blanc-Mesnil, au fond de la Voie-Verte. Elles étaient ensemble à l'université, toutes les deux faisaient des études d'histoire. Alors quand elles se sont retrouvées par hasard, à Paris, après les disparitions, la peur et les morts, elles se sont naturellement serré les coudes.

Je comprends, oui, mais je n'avais vraiment pas imaginé les choses comme ça.

Entre Amalia et moi, il y a tout de suite eu comme un froid. Mais je dois reconnaître que de son côté, elle fait de grands efforts pour que notre relation change.

Après la distance des premiers jours, soudain, elle s'est mise aux blagues. Elle n'arrêtait pas de dire que nous avions quand même de la chance d'être de ce côté de la grande allée qui traverse les cités de ce secteur du Blanc-Mesnil. De l'autre, c'est la cité des Quinze-Arpents, où les immeubles sont plus hauts et en général plus sales encore que le nôtre. Aux Quinze-Arpents, il y a beaucoup de Noirs et d'Arabes alors que dans le coin où nous habitons, il y a une majorité de Portugais, des Espagnols et même quelques Français. *En fait, tu pourrais dire à tes copines que tu habites le quartier latin... Juste à côté de l'Afrique du Nord et du Sahel — c'est que les distances ne sont pas les mêmes de ce côté de l'océan, pas vrai ? Tout se touche ici, ça tient dans un mouchoir de poche, regarde... Mais pour nous, c'est le* barrio latino, *le vrai de vrai !*

Oui, elle faisait vraiment de grands efforts après le froid des premiers jours, mais moi j'avais quand même envie qu'elle arrête de sourire à tout bout de champ avec sa dentition à trous.

Juste au-dessus de mon lit, à l'aide de deux petites punaises bleues, à peine arrivée, j'ai fixé une feuille avec un programme détaillé, pour les lettres. Je dois écrire cinq lettres par semaine, une par jour, du lundi au vendredi, avant la pause du week-end que je consacre à la lecture.

Le lundi, j'écris à mon père. Normal, c'est le début de la semaine, le jour où je dois tenir ma promesse la plus importante. Après quoi, j'enchaîne une semaine épistolaire sans faute jusqu'au vendredi — c'est déjà devenu une habitude. Le mardi et le mercredi, j'écris à chacune de mes grands-mères. Le jeudi, à l'une de mes tantes ou à l'un de mes cousins — mais ils sont nombreux, côté tantes et cousins, j'ai un grand choix, alors j'alterne. Afin de ne pas écrire toujours aux mêmes, j'ai un petit carnet où je note le nom de la tante ou du cousin choisi et la date à laquelle je lui ai adressé une lettre. Le vendredi, j'écris à une de mes amies restées à La Plata. Et le week-end, j'essaye d'avancer dans la lecture des livres que mon père me conseille.

C'est lui qui en a eu l'idée. En prison, il lit beaucoup, d'abord les livres auxquels il a droit tous les mois, mais il enchaîne souvent sur ceux des autres prisonniers car ils ont trouvé le moyen de les faire circuler. C'est ma grand-mère qui me l'a raconté. Alors, comme mon père sait que j'aime aussi la lecture, il s'est dit qu'on pouvait lire certains livres en même temps. Lui, il le fait en espagnol — le règlement de la prison lui interdit de lire dans une autre langue — tandis que moi, au Blanc-Mesnil, je lis, en français, un des livres qui se trouvent dans sa cellule. Ça nous fait des sujets de conversation pour nos lettres hebdomadaires — et par la même occasion j'avance dans mon apprentissage de la langue française.

J'ai parfois du mal à trouver les livres qu'il veut que je lise, comme cette *Vie des abeilles* de Maurice Maeterlinck que j'ai réclamé dès mon arrivée en France et durant près d'un mois avant que ma mère n'en déniche un exemplaire d'occasion chez Joseph Gibert, à Paris, dans le vrai Quartier latin. Un volume tout vieilli et complètement desséché — tellement sec que de minuscules petits bouts de papier s'en détachent pour rester sur mes doigts si j'en tourne trop rapidement les pages — mais dont le texte a bien l'air de correspondre mot pour mot à celui que mon père a entre les mains dans la prison de La Plata.

Dans ses lettres, mon père recopie, en espagnol, des passages entiers de *La vie des abeilles* — *La vida de las abejas*, comme il dit.

C'est important qu'il l'écrive comme ça. Car, de même qu'il n'a le droit de lire qu'en espagnol, mon père n'a pas le droit d'écrire dans une autre langue, pas même un mot. Pour moi, c'est la même chose, quand je lui envoie des lettres, je n'ai pas le droit d'y glisser ne serait-ce qu'un tout petit bout de français. C'est que notre correspondance est épluchée par les services de sécurité de la prison, aussi bien les lettres qui y entrent que celles qui en sortent, or rien ne doit pouvoir leur échapper. Mais moi je sais bien que le titre du livre de Maurice Maeterlinck est *La vie des abeilles* et qu'il est divisé en sept grandes sections dont la première n'est pas «*En el umbral de la colmena*» mais «Au seuil de la ruche», ce qui est plus étrange à mes oreilles, mais tellement plus joli, au fond. J'ai le livre sous les yeux, je suis là pour tout vérifier. D'ailleurs, les passages que mon père recopie en espagnol, je les retrouve sans trop de difficultés dans mon petit volume aux feuilles jaunies — dont je garde souvent de minuscules débris sur les doigts, on dirait du sable de papier.

Mon père ne se contente pas de reproduire des passages entiers de *La vie des abeilles*, il les commente avec des phrases très compliquées que j'ai quand même l'impression de comprendre un peu, parfois. Moi, j'évite de me lancer dans de longs exposés — j'aurais trop peur de dire des bêtises. J'essaye juste d'échanger un peu à propos des abeilles pour lui montrer que je joue le jeu, que je suis bien en train de lire le même livre que lui, comme il me l'a demandé. Puis je recopie dans mon petit carnet, en français, certains des passages que mon père a trouvés les plus intéressants, les plus beaux, ou les plus mystérieux et qui me plaisent aussi. Comme ce bout de phrase que j'ai souligné avant même que mon père ne m'en parle dans l'une de ses lettres — peut-être parce que c'est un des rares passages du livre que je n'ai pas eu besoin de relire en me triturant les méninges, j'avais tout compris du premier coup : *le bleu est la couleur préférée des abeilles*.

« *Claparède* »

Au Blanc-Mesnil, j'ai dû attendre un bon mois avant de pouvoir aller à l'école. Alors une fois, pour ne pas rester seule toute la journée cité de la Voie-Verte, j'ai accompagné ma mère à son travail. C'était à la fin du mois de janvier.

Nous avons pris plusieurs bus pour arriver jusqu'à Paris. Puis encore des bus et le métro, plein de fois, jusqu'à la fin de la journée. C'est que ma mère et Amalia se sont trouvé un travail étrange. Elles se déplacent avec des enfants qui suivent *une thérapie*, comme elles disent. Chacune de leur côté, elles vont chercher les enfants chez eux, dans les très beaux quartiers, pour les conduire dans une grande maison qui s'appelle *Claparède* — un lieu qui se trouve aussi dans le secteur où ces enfants vivent, là où tout brille. Puis quand ils ont fini ce qu'ils ont à y faire, elles ramènent les enfants à leur point de départ. C'est ça, leur travail. Parfois elles s'y croisent, chacune avec le sien, elles échangent quelques mots dans la salle d'attente de *Claparède*, mais la plupart du temps elles se racontent leurs allées et venues à la fin de la journée, lorsqu'elles sont de retour à la maison.

Normalement, chacune d'elles se déplace avec un seul enfant à la fois — autrement, ce serait trop compliqué. C'est que même s'ils sont grands, ces enfants-là doivent être surveillés en permanence. Pas seulement quand ils traversent la rue en tenant ma mère ou Amalia par la main. Même sous terre, dans les tunnels du métro, les enfants dont elles s'occupent ne sont pas à l'abri. C'est qu'ils pourraient tirer sans raison sur une sonnette d'alarme ou encore se jeter sur les voies juste au moment où le métro surgit en trombe — et en faisant un grand sourire, en plus. Ou bien baisser leur pantalon et s'accroupir pour faire caca devant tout le monde, sur les marches d'un escalier mécanique, avant de s'essuyer les fesses avec les mains — c'est arrivé une fois, ma mère me l'a raconté. Ce qui est moins dangereux que de plonger la tête la première sous une rame qui sort du tunnel, mais tout de même très ennuyeux.

Chicos con problemas, comme dit ma mère. Ils ont besoin qu'on les surveille en permanence, c'est pour ça qu'elles ne peuvent se déplacer qu'avec un enfant à la fois.

Mais en ce jour du mois de janvier, ce n'était pas gênant que j'accompagne ma mère à *Claparède*. Même si j'étais là, ça ne lui faisait pas vraiment un enfant de plus, elle savait que personne n'allait lui reprocher de m'avoir prise avec elle. Moi, je ne me couche pas par terre dans les bus et je ne lèche jamais les mains des vieilles dames en roulant des yeux effarés, je sais me tenir, les gens de *Claparède* allaient le voir tout de suite — ma présence n'allait pas empêcher ma mère de faire correctement son travail.

C'est quand même très fatigant cette activité qu'elles se sont trouvée, elles n'ont vraiment pas droit à l'erreur. Même si certains enfants sont bien plus tranquilles que ma mère et Amalia ne me l'avaient dit. Comme le petit blond que ma mère et moi sommes allées chercher, chez lui, tout au fond d'une très belle cour où quelqu'un avait pris soin de recouvrir les plantes de petites bâches transparentes pour les préserver de l'hiver.

Cet enfant-là avait les cheveux tout bouclés, les joues blanches et roses, comme dans un livre de contes russes que j'avais lu, une fois, et il ne disait pas un mot. Quand nous sommes arrivées chez lui, il attendait sagement sur une chaise, dans l'entrée, juste à côté d'un grand miroir. Il avait déjà enfilé son manteau, même un bonnet et une grosse paire de gants. Dès qu'on nous a ouvert la porte, ma mère s'est excusée auprès d'une dame très élégante, *je suis désolée, je suis venue avec ma fille.* Mais la dame a aussitôt répondu que ce n'était pas grave. Elle a même ajouté qu'elle croyait que ça faisait plaisir à Antoine c'est ainsi que se nommait le petit garçon si blond. *C'est vrai*, m'a dit ma mère en espagnol, alors que nous étions déjà dans la cour, *on dirait que ça fait plaisir à Antoine que tu sois là*.

Quand nous sommes montés dans le premier métro, Antoine s'est assis sur un strapontin puis il s'est calé au fond du siège, il a serré les cuisses et fermé son manteau comme s'il voulait prendre le moins de place possible. En le voyant faire, même s'il ne disait rien, il m'a semblé comprendre que c'était une manière de m'inviter à m'asseoir à côté de lui, alors je l'ai fait. Moi aussi, j'aime bien ces sièges. Ce qui est bien avec les strapontins, c'est qu'on peut oublier le vis-à-vis.

Antoine n'a rien dit durant ce premier trajet. Sur son strapontin, il n'a presque pas bougé : il a passé son temps à regarder droit devant lui comme s'il jouait à faire la statue. Assise à ses côtés, je n'étais pas plus bavarde et je ne bougeais pas davantage — tout ça pourtant n'avait pas l'air de le gêner, bien au contraire.

Puis nous avons fait un changement dans une station dont j'ai oublié le nom mais où le tunnel du métro a très exactement la forme d'une tranche de pain de mie géant. Dans la deuxième rame de métro, nous nous sommes tout de suite installés l'un à côté de l'autre, sur d'autres strapontins. Comme dans le wagon précédent, il a abaissé le sien d'un simple coup de fesses — j'ai eu l'impression qu'il cherchait à limiter ses mouvements au strict nécessaire. En tout cas, il semblait avoir une technique bien à lui qu'il maîtrisait parfaitement.

C'est dans ce second train qu'Antoine a sorti de sa poche un coquillage avec un bonbon caché tout au fond qu'il s'est aussitôt mis à lécher. J'ai pensé que c'était une drôle d'idée, quand même, de coincer un bonbon au fond d'un coquillage — je n'avais jamais vu de friandises de cette sorte. Puis, sans un mot, il a eu ce geste qui m'a surprise comme il a eu l'air de surprendre ma mère : sans poser les yeux sur moi, en faisant juste un mouvement de côté avec son bras, il m'a tendu un coquillage que visiblement il m'offrait. Il avait aussi un bonbon coincé tout au fond, mais il était d'une autre couleur que le sien. Alors, j'ai imité Antoine. Ça a eu l'air de lui faire drôlement plaisir que, côte à côte, chacun sur son strapontin, nous passions notre langue sur le fond d'un coquillage tout brillant de sucre — le sien était jaune, comme ses cheveux.

Dans la salle d'attente de *Claparède*, sans me regarder davantage, il m'en a donné un autre — en fait, il en avait plein les poches. Pour le déguster, j'ai attendu que nous soyons de nouveau dans le métro, sur le chemin du retour, encore une fois côte à côte, sur d'autres strapontins.

Cela dit, la plupart des enfants qui fréquentent *Claparède* sont bien plus agités qu'Antoine. Comme celui qui n'arrête pas de bouger les bras. On dirait qu'il veut écarter des rideaux dans lesquels il serait pris ou alors éloigner une nuée de moucherons. Pourtant, autour de lui, il n'y a ni rideaux ni moucherons, juste ses bras qui battent dans tous les sens — pour ma part, je n'ai assisté à ce spectacle qu'une fois, mais il paraît que cet enfant fait toujours la même chose, il remue les bras sans cesse. Je ne sais plus comment il s'appelle, personne ne l'a appelé par son prénom, ou alors je l'ai oublié. Mais lui, je l'ai toujours en mémoire, comme les grimaces de douleur qui ne cessaient de traverser son visage et qui ne le quittent jamais, d'après ma mère — les insectes et les tentures ont beau être invisibles, tout ça lui fait toujours très mal.

Quand ma mère a eu à s'occuper de cet enfant-là le jour où j'étais avec elle, je me suis tenue à distance, aussi bien dans le bus que dans la salle d'attente de *Claparède*. Bien qu'elle ait l'habitude, ma mère n'avait pas l'air très rassurée non plus. Elle a même semblé drôlement soulagée d'avoir réussi à le ramener chez lui pour le remettre entre les mains d'une autre dame qui a pris le relais — ça semblait extraordinaire qu'il ne lui soit rien arrivé durant tout le temps qu'il avait passé avec nous, avec les moulinets de ses bras qui ne voulaient jamais s'arrêter. Qu'il ait encore ses grosses lunettes, aussi. Il n'avait cessé de se démener contre des voiles et des insectes imaginaires, de souffrir énormément dans la bataille, mais ses lunettes étaient toujours sur son nez. Et intactes, en plus.

Il n'était que cinq heures de l'après-midi, pourtant il faisait nuit, déjà, quand nous sommes allées chercher le troisième enfant, Paul. Il était seul chez lui, mais visiblement il en avait l'habitude. Quand il a ouvert la porte, Paul était en chaussettes et tenait dans sa main gauche la jambe d'un robot, rouge et bleu. *Il faut que tu mettes tes chaussures et aussi un manteau*, a dit ma mère. Alors nous l'avons suivi jusque dans sa chambre, tout au bout d'un long couloir dont les murs étaient couverts de tableaux qui semblaient très anciens. On aurait dit un musée, mais il n'y avait là personne — rien que Paul, en chaussettes, avec une jambe en plastique à la main.

Le sol de la chambre de Paul était recouvert de jouets cassés — des voitures, des wagons et des pelleteuses, mais surtout des bonshommes, des robots et des superhéros qui étaient rarement entiers. Des têtes, des jambes et des troncs en plastique jonchaient la moquette. Dans le lot, j'ai cru reconnaître Superman, Spiderman et peut-être même Goldorak, de loin mon préféré. Mais, célèbres ou anonymes, tous les bonshommes étaient en pièces.

Paul s'est d'abord chaussé, puis il est allé chercher le manteau qui se trouvait sur son lit, à l'autre bout de sa chambre, en mettant un pied devant l'autre comme l'aurait fait un automate, presque sans plier les genoux. Il prenait le chemin le plus court pour atteindre son manteau, sans se soucier des bonshommes et des héros en morceaux qui se trouvaient à terre. À l'aller comme au retour, il a marché sur plusieurs membres qui ont craqué sous ses pieds, sans leur prêter la moindre attention. Pas plus qu'à la tête rouge et bleu qu'il a écrasée de sa bottine. Sans doute allait-elle avec la jambe qu'il avait dans la main au moment où il nous a ouvert la porte — c'est ce que je me suis dit quelques instants avant de la voir disparaître dans la laine grise et bouclée qui tapissait le sol.

Loulou

Depuis quelques mois, je vais à l'école Jacques-Decour. J'en suis fière — c'est ma première école française.

Derrière une grille, entre la cité de la Voie-Verte et celle des Quinze-Arpents, il y a plusieurs bâtiments modernes, longs et bas. Eh bien, c'est là. C'est à Jacques-Decour que vont les enfants des deux cités, mais il y a aussi des élèves qui viennent des pavillons qui sont derrière l'école, des maisons assez jolies parfois. Certaines ont même un petit jardin.

Pour y être admise, je suis allée dans le bureau de la directrice qui m'a posé quelques questions auxquelles j'ai réussi à répondre. Il faut dire que la plupart d'entre elles étaient assez faciles — un peu comme celles que mon premier professeur de français m'a tant de fois posées à La Plata, même si, depuis, mes réponses ont encore eu le temps de changer.

— Oui, j'aurai bientôt onze ans.

Pourtant, jusqu'au moment où la directrice a

dit *bon, eh bien, d'accord, nous verrons si elle arrive à suivre*, je ne me suis pas sentie rassurée. D'autant plus qu'après les questions qui ressemblaient à celles dont Noémie truffait nos jeux, la directrice m'a demandé quelque chose que je n'ai pas compris, bien que je n'aie rien laissé paraître. J'ai répondu *oui*, avec un sourire, tout en essayant de sembler sûre de moi. Par chance, elle s'est arrêtée là.

C'est qu'il y a des écoles pour les enfants qui ne parlent pas bien français. La directrice n'a pas manqué de nous le rappeler au tout début de notre rendez-vous, mais ma mère a répondu ce que je savais déjà : elle ne veut pas que j'y aille, c'est même hors de question. C'est que ma mère ne jure que par l'*immersion*. Elle attend de moi que je réussisse cette histoire de bain linguistique, que je me débrouille le plus vite possible. Elle serait très déçue du contraire, et moi aussi. Je crois même que je trouverais cela humiliant après tout ce qu'elle m'a dit à propos de l'importance de réussir ce premier bain français.

Dans la cour de mon école, pourtant, j'essaye de ne pas trop parler. Je n'ai pas envie qu'on me repère. Non seulement parce que j'ai peur d'entrer dans une conversation que je ne maîtriserais pas, un échange où je perdrais pied et qui conduirait un enfant de Jacques-Decour à dire aux adultes que pour moi, ça ne marche pas, cette histoire de bain, qu'il faut au plus vite qu'on me sorte de la piscine. Mais aussi parce que je n'aime pas montrer mon accent. Il me fait honte. Quand je comprends qu'on l'a remarqué, chaque fois, je me sens comme dans ce rêve que je fais souvent, dans lequel je me vois debout tout au fond d'un bus à l'instant précis où je prends conscience que j'ai oublié de m'habiller, que je suis sortie pieds nus et parfois rien qu'avec une culotte. Quand je m'en aperçois, il m'est impossible d'y remédier, le bus roule déjà à vive allure, rien ne semble pouvoir l'arrêter, il me conduit je ne sais où, inéluctablement — le pire, pourtant, ce n'est pas cette destination qui m'échappe, c'est que tous les occupants du bus m'ont déjà repérée et que *tous* ont les yeux braqués sur moi. Ils m'ont vue et, surtout, *ils savent*. Et moi je sais qu'ils savent, c'est ça le plus horrible, au fond : je sais qu'ils savent et je n'y peux rien. Avec mon accent, j'ai la même impression que dans ce bus à bord duquel on m'embarque souvent, la nuit — quand je vois dans les yeux de l'autre que j'ai été repérée, j'ai terriblement honte, j'aimerais soudain ne plus être là, ou bien être quelqu'un d'autre. Mais mon rêve en général s'arrête sur ce sentiment, alors qu'avec mon accent, après la honte, ça continue. Et c'est ce qui finit par m'énerver et parfois aussi par me mettre très en colère. Cet accent, j'aimerais l'effacer, le faire disparaître, l'arracher de moi. C'est pour ça qu'à Jacques-Decour je préfère écouter les autres, je ne parle que lorsqu'on me pose des questions ou alors quand je n'ai vraiment pas le choix.

Dès que je suis seule, pourtant, devant le miroir de la salle de bains, je m'entraîne à prononcer des mots compliqués, avec plein de *r*, des voyelles sous le nez, des *g* et des *s* entre deux voyelles, ceux qui grésillent et qui font comme des chatouilles au niveau du palais — *arrosoir, paresseuse, gélatine, raison, raisin, raisonne.* Je m'entraîne aussi à prononcer à toute allure des mots avec des *u* — *tu, tordu, mordu, pointu* — et même des *u* tout seuls, de très longs *uuu* que je fais durer le plus longtemps possible, jusqu'à ce que je n'aie plus de souffle. Pour les *u*, du temps de mes cours à La Plata, Noémie m'avait donné une astuce : placer les lèvres comme si l'on voulait dire *ou* mais dire *i. Tu verras, ça marche.*

C'est vrai que ça marche. Il faut faire croire à ses lèvres qu'on va dire une chose et en dire une autre. Au début, c'est comme si on leur tendait un piège. Les premières fois, c'est vraiment étrange de découvrir qu'on peut les berner aussi facilement — on est presque déçu que le piège à *u* tienne ses promesses. Mais peu à peu les lèvres se laissent faire, elles apprennent à faire des *u* sans qu'on ait besoin de les prendre par la ruse. J'espère qu'un jour ça deviendra une habitude — j'y arriverai.

À Jacques-Decour, je ne parle pas beaucoup, mais j'ai quand même réussi à me faire quelques amis. Au bout de la première semaine, j'en avais déjà trois, Luis, Ana et Inès. Même si je suis arrivée en cours d'année et que je suis presque toujours silencieuse, ils me proposent souvent de jouer avec eux.

Luis et Inès sont portugais, Ana est espagnole — pourtant, entre eux, ils parlent toujours français. Avec eux, je suis moins gênée quand il faut que je parle. Ça m'a l'air plus simple qu'avec les autres enfants, en tout cas, en leur présence, j'ai moins honte. Je me dis qu'avec leur famille, ils ont l'habitude. Parfois, j'ai l'impression que nous formons une petite bande. La bande du quartier latin du Blanc-Mesnil, comme dirait Amalia : c'est nous, les gamins du *barrio latino*. Je suis l'élément le plus silencieux du groupe, mais nous sommes bien ensemble.

Comme moi, ils habitent dans les immeubles qui sont autour de l'école. Celui de Luis est à côté du gymnase, tout près de Jacques-Decour.

Le matin, avant d'aller à l'école, Inès et moi nous rejoignons Luis au pied de son immeuble — même s'il se trouve à quelques mètres de la grille d'entrée, il nous attend toujours là. Sans que nous en ayons parlé, assez vite, c'est devenu une sorte de rendez-vous. Toutes les deux, nous descendons à peu près à la même heure. Nous nous retrouvons dans l'allée centrale, puis nous prenons Luis au passage. Parfois, Ana nous rejoint aussi au pied de l'immeuble de Luis, mais elle, elle vient par un autre chemin.

Luis a des cheveux très bruns, presque noirs et raides, et étonnamment longs pour un garçon. Sa voix est très aiguë et il ne joue qu'avec les filles. Du coup, tous les garçons l'appellent Loulou — ça les fait rire. *Eh, Loulou ! Dis-nous, en vrai, t'es une fille ou un garçon ?* La plupart du temps, c'est un certain Carlos qui ouvre le feu, un enfant qui habite dans le même immeuble que moi mais auquel je n'ai jamais parlé. Carlos a toujours un petit groupe autour de lui, quatre ou cinq garçons, souvent les mêmes.

En général, Luis fait semblant de ne pas les entendre. Ils ont beau l'embêter et lancer de grands éclats de rire tandis que Carlos donne aux garçons de sa bande des tapes dans le dos, comme pour encourager sa petite troupe, Luis continue à jouer à l'élastique ou à la corde, comme si de rien n'était. Nous, les filles, nous l'imitons, nous faisons bloc avec lui, nous continuons à jouer comme si les garçons n'étaient pas là à le regarder, en se tordant de rire. Mais ils reviennent toujours à la charge, *c'est vrai, quoi ! Dis-nous, t'es une fille ou un garçon ? Nous on demande à voir, on n'attend même que ça, ma Louloutte !* Et ils rient de plus belle, alors, parfois, Luis finit par s'énerver, il arrive qu'à cause des autres garçons, il se mette à pleurer. *Arrêtez, arrêtez avec ça, maintenant !* Après les larmes, parfois, il ne se contrôle plus du tout, il peut même se mettre à hurler, à donner des coups de pied contre un adversaire imaginaire avant, bizarrement, de tomber à genoux comme si son adversaire invisible l'y avait obligé — je l'ai déjà vu faire plusieurs fois, c'est une version étrange de la colère de Luis qui a le mérite d'éloigner immédiatement les moqueurs, comme s'ils étaient soudain apeurés par ce qu'ils ont eux-mêmes provoqué. Quand Luis se met dans cet état-là, Inès est la seule à pouvoir le calmer — elle le prend par l'épaule, *allez, viens Luis, laisse tomber*, puis elle s'éloigne avec lui, tandis que nous suivons, Ana et moi. Je l'aime bien, Inès. Je la trouve très jolie, elle a des lèvres bien dessinées, toujours roses, presque rouges parfois, et des cheveux bruns, longs et épais.

Pourtant, une fois, elle m'a fait de la peine.

Tout a commencé quand elle s'est mis en tête de me poser des questions à propos de mon pays d'origine. Elle voulait savoir si moi aussi j'étais espagnole, comme Ana.

— Non, je viens d'Argentine.

— Et c'est où, ça ?

Elle n'avait jamais entendu parler de ce pays. Pas plus que de l'Amérique du Sud — *et c'est où, ça ?* Alors elle m'a demandé comment j'avais fait pour venir en France, par où j'étais passée pour débouler dans la cité en plein milieu de l'année scolaire.

Elle a été très surprise de m'entendre dire que j'avais pris l'avion, elle me regardait même avec des yeux tout ronds. J'ai eu peur d'avoir mal prononcé le mot à cause de ces voyelles sous le nez qui parfois me résistent encore, surtout quand je suis émue — cette question d'Inès, je ne sais pourquoi, m'avait fait venir les larmes aux yeux. Quand je dois parler aux autres en vrai, c'est toujours moins facile que devant le miroir de la salle de bains — devant les yeux étonnés d'Inès, je sais bien que je n'avais plus qu'un filet de voix chevrotant. J'ai eu peur qu'elle ait entendu quelque chose qui ressemble à *lavionne*, alors j'ai repris ma phrase, rouge de honte ou peut-être de colère contre moi-même, je ne sais pas trop, et j'y ai ajouté des gestes. Avant de tendre un index en direction des nuages, au-dessus de la cité, puis de faire une nouvelle tentative — *oui, l'avion, là-haut.*

— L'avion ? Alors là, c'est vraiment bizarre. Luis et moi, nous allons toujours au Portugal en voiture. Et Ana aussi, elle prend la voiture pour aller voir ses grands-parents. Pas vrai, Ana ? C'est très cher, l'avion…

J'ai alors tenté de lui expliquer que je n'aurais pas pu faire ce trajet en voiture, que si je n'avais pas pris l'avion, j'aurais dû venir en bateau — un voyage qui aurait été très long.

— L'Argentine, c'est très loin. C'est de l'autre côté de la mer.

Voyant sa mine surprise, là encore, j'ai fait des gestes. Comme si je dessinais sur un globe imaginaire le parcours qui m'avait conduite jusqu'au Blanc-Mesnil.

— L'Argentine, c'est tout en bas.

Le lendemain matin, Inès ne m'a pas attendue dans l'allée. Du coup, je me suis dirigée toute seule vers l'immeuble de Luis. C'est quand je suis arrivée au pied de chez lui que je les ai vus, tous les trois, Luis, Inès et Ana : ils étaient déjà dans la cour de l'école, de l'autre côté de la grille. Ils avaient, de concert, ignoré notre rendez-vous.

Dans la salle de classe, j'ai tout de suite remarqué qu'Inès avait une attitude bizarre. Comme Luis, d'ailleurs. Ils ne regardaient jamais dans ma direction, j'avais l'impression qu'ils faisaient comme si je n'étais pas là. Seule Ana, à l'autre bout de la classe, tournait ses yeux vers moi, de temps en temps. Je ne saurais dire si elle avait l'air intriguée ou affligée — ce qui est certain, c'est qu'elle ne me regardait pas comme d'habitude.

Dans la cour, c'est Inès qui, la première, est venue vers moi. Elle avait l'air très en colère.

— C'est pas vrai, ce que t'as dit hier.

— Quoi ?

— Pour l'avion, le bateau, tout ça. L'Argentine, c'est pas si loin !

— Mais…

— Non ! T'es qu'une menteuse ! T'as dit tout ça pour faire ton intéressante. En fait, t'es qu'une crâneuse.

— Mais non…

— L'Argentine, mon père il y est déjà allé. Eh ben, tu sais quoi ? Pour aller là-bas, il a pris le train puis le métro. Tu t'es fichue de nous avec cette histoire d'avion ! C'est tout près, chez toi, bien plus près que nos pays à nous !

Je n'arrivais plus à parler. Je suis restée plantée là comme une idiote, à la regarder, en silence.

— L'avion ! L'autre bout de la mer ! Tu parles !

Puis elle a pris Luis par l'épaule et ils se sont éloignés tous les deux pour aller jouer à l'élastique. Ana, qui avait assisté à la scène, les a immédiatement suivis.

J'ai eu envie de pleurer.

Comment leur expliquer ?

Je me suis approchée moi aussi, adressant un geste à Ana qui signifiait que je voulais bien la remplacer à un bout de l'élastique. C'est ingrat de tenir l'élastique, je savais que, comme moi, elle avait horreur de ça.

Ana a regardé Inès qui a haussé les épaules comme pour dire que même si je n'étais qu'une menteuse, pourquoi pas… Finalement, ils voulaient bien de moi, mais c'était comme s'ils me faisaient une faveur : je leur faisais pitié.

Je crois que l'élastique porte conseil. Juste au moment où la cloche a sonné, soudain, j'ai eu une idée.

— Tu te souviens, l'année dernière, le football ? La Coupe du monde de 1978 ? Demande à ton père. C'est là-bas l'Argentine, c'est le pays où il y a eu la dernière Coupe du monde.

Là encore, j'ai fait des gestes pour être sûre de bien me faire comprendre. J'ai donné plusieurs coups de pied dans un ballon imaginaire tandis que je répétais ce mot, *football.*

Le lendemain, Inès m'a attendue au milieu de l'allée, comme d'habitude. Je l'ai rejointe puis nous avons marché en silence, tandis que nous nous dirigions vers l'immeuble de Luis.

— Tu as raison pour l'Argentine. Mon père l'a vu à la télé, il y a eu la Coupe du monde là-bas.

Elle me l'a dit avant d'atteindre la grille de l'école, puis elle l'a répété à Luis et à Ana lorsque nous nous sommes retrouvés ensemble, dans la cour.

— Elle n'a pas menti pour l'Argentine. C'est un pays qui existe pour de vrai. Même qu'on joue au foot là-bas.

La cinquième photo

Mon père ne peut avoir que cinq photos dans sa cellule. C'est comme ça, c'est le règlement de la prison. Il faut par ailleurs qu'on y voie des personnes avec lesquelles il a un lien de parenté et dont il a au préalable déclaré l'identité. C'est que l'administration de la prison veut savoir qui est qui et pourquoi il a ces clichés avec lui. Il n'a droit qu'à ces seules photos, quelle que soit leur taille. Elles peuvent être petites, minuscules, même, peu importe : il ne peut avoir dans sa cellule que cinq photos, pas une de plus.

Je crois que c'était comme ça depuis le début, mais je n'étais pas au courant. Avant, cette histoire de photos n'avait pas l'air si importante. Je n'en avais jamais entendu parler, en tout cas. Mais depuis quelque temps, dans ses lettres, mon père y revient à chaque fois. Avant de me dire au revoir et de me donner rendez-vous la semaine suivante, il glisse toujours un long paragraphe où il est question de la photo qu'il attend — *comme je te l'ai déjà dit, j'ai droit à cinq photos. Je n'en ai que quatre, tu peux donc m'en envoyer une, ce sera ma cinquième photo.*

Ça va bientôt faire deux mois qu'il l'attend, *mais tu ne me l'envoies toujours pas et je ne comprends pas pourquoi.* Sur ce cinquième cliché, celui qui complétera et refermera sa collection, il veut que je sois avec ma mère — du coup, ça lui fera deux photos en une. Il veut aussi qu'on voie le paysage, *mais pas trop, parce qu'autrement vous seriez trop petites toutes les deux. Je veux voir ton visage et celui de ta mère.* Ce qu'il voudrait, c'est que nous prenions cette photo près de l'endroit où nous habitons, au pied de notre immeuble, par exemple, pour essayer d'imaginer un peu notre vie. Ou à l'intérieur de l'appartement. Mais qu'on ne soit pas trop petites sur l'image, quand même, il insiste toujours là-dessus. Et qu'on ne voie personne d'autre — c'est qu'il suffirait qu'on aperçoive la silhouette d'un inconnu pour que la photo lui soit confisquée.

Et celui-là, c'est qui ? C'est qui ça, hein ? Tu te fous de nous ? Voilà sans doute ce qu'on lui crierait — et on lui arracherait illico presto sa cinquième photo. Peut-être ne la verrait-il jamais, même. C'est pour ça qu'il faut bien respecter cette règle : sur cette photo, il ne doit y avoir ni inconnu, ni passant, ni invité surprise.

Dans sa dernière lettre, il avait l'air très fâché contre moi. *As-tu compris que je l'attends impatiemment ? Pourquoi ne m'as-tu encore rien envoyé ?*

Pourquoi ne me parles-tu pas de cette photo, pourquoi fais-tu comme si je ne t'avais rien demandé ?

Pourtant, nous avons pris des photos, avec ma mère, et il y en a plusieurs où l'on nous voit toutes les deux. D'ailleurs, je lui ai demandé de poser avec moi en ayant bien en tête, justement, cette cinquième photo que mon père attend : c'est Amalia qui nous a photographiées, pas trop près de l'objectif, mais pas trop loin non plus, dans un décor familier mais vide de toute autre présence. Il y en a une où on nous voit devant le bac à sable de la Voie-Verte, d'autres où nous sommes devant un parterre recouvert de neige fraîche — ce sont celles que je préfère à cause de tout ce blanc mousseux autour de nous, on dirait que quelqu'un a jeté une couverture de coton à nos pieds.

Mais plus je les regarde, moins j'arrive à me décider. Je fais un blocage sur cette histoire de cinquième photo. Mon père ne cesse de la réclamer, pourtant. Et moi, je ne lui envoie rien.

Ce que j'aime bien, dans les lettres que nous nous écrivons, mon père et moi, c'est que parfois j'arrive à oublier où il est — parler des abeilles et des couleurs auxquelles elles sont sensibles, j'adore ça. *D'après toi, pourquoi elles préfèrent le bleu ? Et comment a-t-on pu s'en rendre compte ?* Je lui pose souvent les mêmes questions. *Dire qu'on sait quelle est la couleur préférée d'un insecte, c'est bizarre, tu ne trouves pas ? Et si c'est vrai pour les abeilles d'ici, est-ce que c'est forcément la même chose pour les abeilles de là-bas ? Et pour toutes les abeilles de la planète ?* Dans mes lettres, je me répète souvent, mais je sais bien que ça n'a pas beaucoup d'importance. D'ailleurs, mon père ne m'a jamais reproché de revenir sans cesse à ces mêmes questions — elles ont beau être toujours les mêmes, lui, de son côté, il s'efforce de donner à chaque fois des réponses différentes, il cherche toujours de nouveaux arguments pour tenter de me convaincre à propos du bleu. Du coup, ça nous fait une vraie conversation, cette histoire. Ça l'intéresse vraiment, je crois, cette discussion est devenue depuis quelque temps une sorte de jeu — notre jeu préféré, on dirait.

D'après lui, il y a beaucoup d'expériences qui ont pu permettre d'observer que le bleu est la couleur préférée des abeilles. *On a pu, par exemple, planter tout autour d'une ruche des massifs de fleurs de couleurs variées, dans des directions opposées, puis contraindre les abeilles à demeurer dans leur ruche avant de les libérer soudainement pour voir dans quelle direction elles volaient en plus grand nombre.* C'est la première réponse qu'il m'a donnée, mais je suis immédiatement revenue à la charge avec mes doutes. *L'expérience des massifs de fleurs ne suffit pas, même si les abeilles s'y étaient rendues en masse. Si les fleurs bleues en question étaient celles dont les abeilles préféraient l'odeur et non la couleur ? Cette expérience ne marche pas, planter des fleurs bleues ne prouve rien.* J'étais drôlement fière d'avoir trouvé cette objection et drôlement contente qu'il ait reconnu, dans la lettre suivante, que j'avais marqué un point : *Tu as parfaitement raison, les fleurs bleues ne suffisent pas.* Mais de son côté, il n'a pas renoncé pour autant : *Les scientifiques ont pu confirmer que c'était bien la couleur qui les avait attirées par un autre moyen. Après l'expérience des buissons de fleurs, ils ont pu placer des repères colorés dans un champ. Des bornes ou des poteaux tout bleus et dénués d'odeur.* Cette fois, c'est lui qui marquait un point. *D'accord, je comprends. Mais je ne sais pas pourquoi, je ne suis toujours pas convaincue.* En plus, il faudrait faire ces expériences avec toutes les abeilles du monde : c'est mon argument le plus solide, je crois. *Et s'il y avait quelque part sur la planète une espèce d'abeilles qui n'était pas d'accord avec toutes les autres ?* Mon père reconnaît que l'on peut toujours l'imaginer, mais il fait confiance à l'auteur de *La vie des abeilles* : *Il parle du rose vif et du jaune, aussi, mais d'après lui, c'est surtout le bleu qu'elles aiment, il est formel sur cette question. Et il les connaissait très bien. Peut-être auras-tu un jour l'occasion de vérifier par toi-même que c'est le bleu que les abeilles préfèrent ? Toujours, en toutes circonstances, partout sur le globe. C'est ce que dit Maeterlinck, et moi, j'y crois.*

J'adore parler de ça avec mon père, je cherche souvent de nouveaux arguments pour relancer le débat. Bien qu'au fond je sois, moi aussi, depuis longtemps persuadée que le bleu est leur couleur préférée. Même si je ne l'ai pas encore reconnu, mon père a fini par me convaincre.

C'est le bleu que les abeilles aiment par-dessus tout, *le bleu tendre* — Maeterlinck sait de quoi il parle, il a passé beaucoup de temps à les étudier. Dans son livre, il se souvient d'un voyage qu'il a fait en Hollande, un voyage qu'il évoque comme un souvenir lointain — peut-être était-il encore un enfant, à l'époque ? Il ne dit rien à propos de l'âge qu'il avait alors, mais il affirme que c'est dans ce pays qu'il a vu ses premières ruches, dans une région pleine de couleurs vives avec *des armoires et des horloges qui reluisent au fond des corridors*.

Dans ce coin de la Hollande, Maeterlinck a rencontré un vieil homme, son premier maître en matière d'abeilles. Il écrit à son propos des choses étranges. Cet homme, d'après lui, était *une sorte de vieux sage* qui *s'était retiré là où la vie semblerait plus étroite qu'ailleurs, s'il était possible de rétrécir réellement la vie*. J'ai cherché dans le dictionnaire tous les mots que je ne comprenais pas dans les pages qui concernent ce vieil homme, je voulais que rien ne m'échappe à son sujet. Ça m'a fait une longue liste de mots français nouveaux : *pignon*, *enluminé*, *ouvragé*, *versicolore* et plein d'autres encore, *pont-levis*, *vernissé*, *étain*, *faïence* — et j'en passe. Je connais presque par cœur tout ce qui concerne ce vieil Hollandais, comme je connais *le mur blanchi* de sa maison contre lequel il a installé celle des abeilles. C'est auprès de lui que Maeterlinck a appris, pour le bleu. Et le vieil homme, aussi, savait de quoi il parlait — mieux que quiconque, de toute évidence. Tous ces mots que j'ai recopiés dans mon petit carnet se trouvent dans la première partie du livre de Maeterlinck, celle qui s'intitule « Au seuil de la ruche » — ma préférée.

Mais depuis quelques semaines, malgré les abeilles, je n'arrive plus à oublier que mon père est en prison. Il est en prison et il n'a droit qu'à cinq photos. Parfois, j'ai l'impression que c'est pour ça que je ne lui envoie rien.

Dans sa cellule, il ne peut avoir que cinq photos et il n'a qu'une place de libre.

Plus il me le répète, et plus ça m'angoisse.

Il y revient toujours plus longuement. Avant de finir sa lettre, il y a un paragraphe de plus en plus long sur cette cinquième photo qu'il attend toujours.

Mon père donne même beaucoup de précisions à propos du cliché dont il rêve, au point que parfois j'ai l'impression de voir la photo en question — *pour qu'on puisse voir vos deux visages et un peu ce qui vous entoure, il faudrait une sorte de plan américain mère-fille. Sais-tu ce qu'est un plan américain ?*

Et il ne cesse de s'étonner, de plus en plus agacé. *J'ai encore reçu une lettre sans photo, pourquoi ?*

C'est que moi aussi, je me pose des questions.

Et si je me trompais dans le choix de cette dernière photo, hein ? Si la photo ne lui plaisait pas, si elle n'était pas assez belle ? Est-ce que mon père aura le droit de libérer une place pour que je lui en envoie une autre ? Aurai-je une deuxième chance ?

Et même dans ce cas. À supposer que je choisisse mal la cinquième photo mais que j'aie le droit de lui en envoyer une autre : est-ce que quelqu'un déchirerait la photo qui n'a pas tenu ses promesses ? Est-ce qu'on la jetterait ? Est-ce qu'on la brûlerait ? Est-ce qu'on la découperait en plein de petits morceaux avec de grands ciseaux pointus ? Et qui ferait tout ça, hein ? Un gardien ? La dame qui s'occupe de la fouille des femmes, celle qui se fait toujours des chignons très hauts ? Qu'est-ce qu'elle fait les jours où il n'y a pas de visites ? À quoi occupe-t-elle son temps en dehors du jeudi ?

À ça, peut-être, c'est bien possible : à faire disparaître des photos.

Mais je n'ose pas lui poser toutes ces questions — j'ai peur de lui faire de la peine comme ça m'en fait à moi. C'est pour cette raison que sa cinquième place reste toujours vide.

Il est temps, pourtant, que je lui envoie la photo parfaite, la photo idéale, l'image digne d'être sa cinquième et dernière photo. Celle qui s'imposerait naturellement, celle qu'il n'aurait même pas l'idée de faire disparaître pour la remplacer par une autre.

Chaque lundi soir, pourtant, au moment de refermer l'enveloppe où je glisse la lettre à mon père, elle part toute seule, sans la photo tant de fois réclamée — comme ce lundi. Je sais qu'il se fâchera encore plus fort contre moi, mais je n'arrive pas à faire autrement.

J'aimerais aussi qu'il demande tout ça à ma mère. Mais ils ne s'écrivent presque pas — voilà quelque chose que je sais sans en connaître vraiment les raisons. C'est également pour ça que je ne lui envoie rien, que je fais comme si cette histoire de cinquième et dernière photo n'existait pas — même si je ne cesse d'y penser.

Je n'ose pas ouvrir la lettre de mon père que j'ai reçue hier soir car je sais d'avance qu'il râle, plus encore que la semaine dernière, forcément. Sa lettre hebdomadaire est arrivée, il m'a écrit, comme d'habitude. Mais j'ai peur de l'extraire de son enveloppe.

Comme sur toutes les enveloppes qui viennent d'Argentine, il y a des traits bleus, obliques, qui font comme un cadre autour de l'adresse. Et l'inscription VIA AEREA, en majuscules, en haut, à gauche.

Tuyaux

Dans le salon de notre appartement, aux murs, il y a un papier peint à formes géométriques. Il est jaune, orange et marron — *c'est la mode ici*, avait dit ma mère quand j'avais pénétré pour la première fois dans l'appartement du Blanc-Mesnil. Je n'avais pas osé lui demander ce que désignait cet *ici*. Est-ce qu'il y a une mode particulière au Blanc-Mesnil ? Ce papier peint évoque des canalisations, des centaines de tuyaux qui ont l'air de ceinturer le salon. L'appartement tout entier, en fait, puisqu'il y en a partout, du papier peint à tuyaux.

Dans la chambre de ma mère comme dans la petite chambre d'Amalia, près de l'entrée, il y a le même papier peint que dans le salon, mais avec une différence : sur les canalisations orangées, le papier est chiné, comme si les griffes d'un chat l'avaient lacéré pour faire apparaître de petits traits violets à la surface des tubes. Mais ce n'est pas qu'il soit abîmé, non : c'est juste une variante.

Quand j'ai pénétré dans l'appartement pour la première fois, ma mère a tendu une main vers les murs du salon, l'air désolée. Puis elle a levé les yeux vers le plafond, celui du salon comme celui de la petite cuisine : c'est qu'il y a du papier peint à tuyaux partout, même aux toilettes. *Ne fais pas cette tête ! Moi aussi, ça m'a fait bizarre la première fois. Tu verras, tu vas t'y faire.* Il n'y a pas un seul mur blanc dans l'appartement, seules les plinthes et les portes ont échappé aux canalisations colorées, et encore, pas entièrement : quelqu'un a jugé nécessaire de faire un rappel au centre de chaque porte en le recouvrant d'un petit rectangle du papier à tuyaux de la pièce, du coup, chacune d'elles présente des faces différentes puisque deux pièces contiguës ne sont jamais sanglées par les mêmes tuyaux.

Dans ma chambre, c'est la même chose. Mais côté tubes, je crois que j'ai eu de la chance : les miens sont presque les mêmes que dans le salon, mais ils sont couleur crème. Je suis surtout contente d'avoir échappé au chinage.

Dans le salon à tuyaux de mon nouveau chez-moi, en attendant que ma mère et Amalia finissent leurs allées et venues avec les enfants de *Claparède* et qu'elles me racontent leurs aventures de la journée — chaque fois que je les attends, je me demande si l'un d'eux a réussi à mordre un contrôleur, par deux fois elles l'ont évité de justesse, mais ça va bien finir par arriver un jour —, je regarde souvent la télé. Ma mère m'a dit que c'était un bon moyen pour me familiariser avec la langue française. Toujours cette histoire d'immersion.

À la télé, je ne comprends pas tout. En général, je m'efforce de suivre au mieux ce qui s'y dit, mais d'autres fois je fais exactement le contraire. Il m'arrive de faire des efforts pour comprendre le moins possible, alors les sons qui s'échappent de la télé m'enveloppent comme une musique. Je peux rester longtemps, comme ça, à me laisser bercer par la musique de la langue française — je lâche prise du côté des paroles pour ne m'intéresser qu'à la mélodie, aux mouvements des lèvres de tous ces gens qui arrivent à cacher des voyelles sous leur nez sans effort aucun, sans y penser, et hop, *-an*, *-un*, *-on*, ça paraît si simple, *-en*, *-uint*, *-oint* : j'écoute, j'admire, j'apprécie. Je me dis que, quelque part en moi, ça fait probablement son effet. C'est que le bain ne me suffit plus, je veux aller bien plus loin : me trouver à l'intérieur de cette langue, pour de bon, je veux être *dedans*. Comprendre chaque son, du début jusqu'à la fin. Que les voyelles sous le nez finissent par me révéler tous leurs secrets — qu'elles viennent se loger en moi à un endroit nouveau, un recoin dont je ne connais pas encore l'existence mais qui me révélera tout à propos de l'itinéraire qu'elles ont suivi, celui qu'elles suivent chez tous ceux qui les multiplient sans avoir, comme moi, besoin d'y penser autant.

Ce que je préfère, c'est le journal télévisé et les débats politiques, surtout quand il y a Georges Marchais. Je lâche souvent prise quand son visage apparaît à la télé : lui aussi fait beaucoup de gestes, il crie, il se fâche puis il devient tout rouge.

Un œil de poupée

À Jacques-Decour, de plus en plus souvent, il y a aussi Astrid qui joue avec nous. Au départ, c'était une copine d'Ana, mais depuis quelque temps, on dirait qu'elle fait aussi partie de notre petite bande, il arrive même que je parle avec elle. Ce qui est bien, avec Astrid, c'est qu'elle est vraiment française. J'étais drôlement contente le jour où je l'ai annoncé à ma mère.

— Pourtant, ce n'est pas très français, ça, Astrid. Tu es sûre qu'elle est française ? C'est comment, son nom de famille ?

J'étais un peu déçue d'apprendre que son prénom n'était pas d'ici, j'ai hésité avant de révéler à ma mère son nom de famille, j'avais peur qu'elle me confirme que, comme nous tous, elle venait d'ailleurs.

— Elle s'appelle Bergougnoux, Astrid Bergougnoux.

— Bergougnoux ! Là, pas de doute, tu as raison, elle est française. Bergougnoux, on ne peut pas faire plus français.

Comme j'étais fière. J'avais enfin une copine française pour de vrai, une enfant de mon âge. J'en avais trouvé une et nous avions même parlé ensemble ! Mon expérience avec Antoine, le jour où j'avais accompagné ma mère à *Claparède*, était restée complètement silencieuse, ça ne comptait pas — j'avais aimé être près de lui sur les strapontins du métro et j'avais admiré ses boucles blondes, mais pour ce qui est de l'immersion, ça ne m'avait pas fait avancer d'un pouce. C'est qu'il faut qu'on me parle — et que j'écoute attentivement tous les mots possibles pour pouvoir les garder en moi.

Depuis que je sais qu'il n'y a pas de doute sur les origines d'Astrid, chaque fois qu'elle ouvre la bouche, je fais très attention à tout ce qui en sort — son français à elle est forcément plus vrai que celui des autres, c'est un français de source. Un français Bergougnoux — pas de doute là-dessus — est un français qui s'est transmis de père en fille. Depuis des générations, depuis la nuit des temps, peut-être. Allez savoir jusqu'où plongent les racines de cette langue-là.

En plus, elle est très belle, Astrid. Bien plus qu'Inès. Sa peau est claire et lumineuse, on dirait que son corps est éclairé au-dedans. Elle a de petites taches dorées sur les joues, de part et d'autre de son nez, des taches de rousseur disposées en deux demi-cercles qui remontent sur ses tempes et qui ont l'air de dessiner sur sa peau comme un sourire permanent. Du coup, quand elle est contente, on dirait qu'elle sourit doublement, de ses lèvres et de ses taches de rousseur, juste au-dessus. Et tout ça va si bien avec son nez légèrement retroussé. S'il n'y avait pas son œil, je crois qu'elle serait la plus belle fille au monde.

Astrid a aussi de longs cheveux châtains et, sur ce visage si clair et toujours souriant, ce visage capable de sourire en double, de grands yeux verts coupés en amande. Quand on la voit pour la première fois, on se dit que c'est la beauté même. Mais quand on l'observe plus attentivement, on voit ce qui cloche — *comme c'est dommage*, voilà ce qu'on pense aussitôt.

C'est qu'en fait, de ces beaux yeux, un seul est vrai. L'autre est un œil de verre, c'est comme une de ces billes avec lesquelles on joue dans la cour.

La bille verte d'Astrid a été très bien faite quand même, l'œil de verre est exactement de la même couleur que celui qui lui reste, avec quelques petits rais bleus à l'intérieur — exactement comme l'autre, le vrai. Il faut la regarder de près pour s'apercevoir que cet œil est un faux, qu'il a été fabriqué de toutes pièces et peint comme on le ferait pour l'œil d'une poupée — mais cet œil-là ne change jamais, il reste toujours égal à lui-même, c'est à ça qu'on reconnaît que ce n'est pas un œil véritable.

Il paraît qu'Astrid a perdu son œil d'origine, celui qu'elle avait avant qu'on n'enfonce dans son visage la perle de verre, tout à fait par hasard, un jour, en faisant une chute. C'est Ana qui me l'a dit, alors que nous étions dans la cour. Je n'avais rien demandé, pourtant, mais Ana avait remarqué que l'œil d'Astrid m'intriguait, alors elle est venue vers moi, comme ça, et elle m'a dit : *Astrid a un œil de verre. Et tu sais pourquoi ? Juste parce qu'elle est tombée dans les escaliers.*

Je me demande comment c'est possible, mais depuis qu'Ana a prononcé cette phrase, je n'arrête pas d'imaginer la scène : Astrid avec ses longs cheveux, perdant l'équilibre à l'école — j'ignore si c'est à l'école que ça s'est passé, mais c'est toujours là que je l'imagine —, Astrid tombant puis roulant jusqu'au bas des marches, les dévalant à toute allure, sur le dos, sur une épaule puis sur la tête. Arrivée tout en bas, sur le paillasson marron et vert, un de ses yeux quitte son visage comme s'il avait été monté sur un ressort. Mais le ressort lâche, et la chute d'Astrid finit par ne laisser qu'un trou rouge à la place d'un de ses jolis yeux. Elle pleure et elle saigne. Pourtant, en même temps, on dirait qu'elle sourit à cause de ses taches de rousseur qui remontent sur ses tempes en formant deux grands demi-cercles, presque jusqu'à la naissance des oreilles.

Quand elle me parle, tandis que je me concentre pour boire à la source de son français Bergougnoux, c'est souvent la bille verte et bleue que je regarde. Je sais bien que c'est l'autre œil qui lui permet de voir, ça doit l'agacer que je regarde toujours la sphère de verre qui n'est là que pour boucher un trou, mais je ne peux pas m'en empêcher. Parce qu'elle est toujours égale à elle-même : la pupille, immobile, est comme une petite tache d'encre, parfaitement ronde, les petits traits bleus sur le fond si vert ont toujours le même éclat. Rien ne bouge sur cet œil-là. L'œil d'Astrid me rassure.

On veut du rab' !

C'est vrai que ce jour-là la viande était bonne à la cantine, là-dessus nous avons tous été immédiatement d'accord. À peine avions-nous découvert le fumet qui imprégnait le réfectoire que nous étions déjà tout excités. En plus, coup de chance, notre table avait été servie en premier — ce qui nous mettait automatiquement en première position pour tenter d'avoir quelques tranches de viande supplémentaires, s'il y avait des restes en cuisine. Ce qui est souvent le cas, *mais il faut avoir fini les plats de sa table pour pouvoir réclamer !*, comme on nous dit toujours. C'est pour cette raison que, quand la nourriture est bonne à la cantine, dès qu'on a fini de se servir, on mange ce qu'on a dans son assiette à toute allure. Il y a toujours quelqu'un pour rappeler à la tablée que c'est ce que nous avons à faire, *allez, on fonce.* Et nous fonçons, oui : en un clin d'œil nous nettoyons tout ça au plus vite pour pouvoir réclamer *du rab' ! on veut du rab', madame !* À chaque fois, nous crions le plus fort possible en secouant nos assiettes vides au-dessus de nos têtes pour attirer l'attention des dames de service. C'est qu'il faut faire vite si on ne veut pas se faire chiper les restes par les autres. C'est un peu comme une course. Avant même d'entrer dans le réfectoire, on s'y prépare quand on sait qu'il y aura des frites ou un gratin de pâtes — dont tout le monde va forcément demander *le rabe*.

J'aime bien ce mot — je crois que c'est le premier mot que j'ai appris à Jacques-Decour. Dans *rabe*, le *e* muet est plus muet encore que d'habitude, parfois la voyelle finale disparaît même tout à fait. Quand on fait la course pour avoir les restes, on prononce ce mot en arrêtant son souffle sur le *b* — sans doute pour que ça aille plus vite, pour qu'on puisse le répéter et le reprendre plein de fois avant que les autres ne s'y mettent de leur côté : *du rab', du rab', donnez-nous du rab', par ici !*

Ce jour-là, pourtant, elle était singulière, la course au rabe, car, pour une fois, c'était la viande qui nous avait lancés dans la bataille. Ce n'étaient pas les frites ni les pâtes qui l'avaient déclenchée, mais des tranches de viande toutes fines et parfaitement rondes qui baignaient dans une bonne sauce marron clair presque entièrement recouverte d'un fin tapis de persil. C'est l'ensemble qui nous avait motivés, drôlement, même. Il a suffi que la dame de service pose le plat au centre de la table, là où le plateau est recouvert d'un disque de plastique orange, pour qu'on se jette dessus — il fallait faire vite, c'était parti !

Comme nous tous, Dalila a avalé sa part en quelques secondes à peine — pour gagner la course au rabe, c'est important de s'affairer en équipe. Parfois, il y en a qui font la fine bouche, des enfants qui ne sont pas aussi enthousiastes que les autres et qui mangent au rythme habituel, mais c'est rare car, si dans une table qui s'est lancée dans la course, un enfant traîne de la fourchette, les autres ne manquent pas de le rappeler à l'ordre : *vas-y, grouille !* Mais ce n'était pas le genre de Dalila. Comme nous tous, elle n'avait pas envie qu'on se fasse chiper la première place. Elle avait même été une des premières à secouer son assiette au-dessus de sa tête en criant *du rab', du rab' madame, ici, à nous !* Elle criait encore à s'égosiller quand la dame de service a fait son apparition avec un plat contenant des œufs durs : c'est alors qu'elle a compris.

Il y a toujours des œufs durs pour les musulmans, quand on nous sert du porc. Mais c'était trop tard. Quand la dame aux œufs durs est apparue dans le réfectoire, Dalila avait non seulement fini sa part de viande, mais elle avait même saucé avec un morceau de pain : l'assiette qu'elle avait brandie au-dessus de sa tête était parfaitement blanche. Dalila avait tout avalé, jusqu'aux feuilles de persil. Et en plus, elle avait trouvé ça bon : tandis qu'elle mangeait, elle n'avait cessé de pousser de petits cris qui disaient son contentement, elle s'était vraiment régalée.

Dès qu'elle a vu les œufs au fond du plat argenté, l'espace de quelques secondes, Dalila a changé du tout au tout. Voilà qu'elle pleurait. Désormais, ce n'était plus son assiette mais son corps qui était tout secoué, par de grands hoquets. La tête penchée entre les jambes, on aurait dit qu'elle voulait vomir cette viande que quelques instants auparavant elle avait tant fêtée. Mais rien ne venait, rien ne sortait de son corps en dehors de ses pleurs.

Elle avait mangé du porc. Elle avait avalé un bout de cochon, et en plus, elle avait célébré ça devant tout le monde.

Toute notre équipe est devenue silencieuse, comme celles qui se trouvaient autour de nous : la course au rabe s'est aussitôt arrêtée, d'elle-même. Plusieurs enfants se sont levés, la fourchette en arrêt, pour se diriger vers les lieux de l'accident. Les musulmans qui, eux, s'étaient méfiés, ne semblaient en tirer nulle fierté personnelle — leurs regards paraissaient plutôt compatissants. Pourtant, ils n'osaient pas approcher, comme si les larmes et les hoquets de Dalila les avaient tenus à distance. À moins que ce ne fût son erreur qui les tenait ainsi loin d'elle, la faute qu'elle avait commise, à la vue de tous ?

Quand nous l'avons entendue murmurer *j'ai peur*, nous n'avons pas su faire quoi que ce soit. Tout le monde semblait pétrifié, un cercle d'impuissance et de stupeur s'était formé autour de Dalila. Seul Luis a eu la force de le rompre. Il s'est approché d'elle, il a essayé de la prendre dans ses bras. Mais la tête de Dalila demeurait baissée, et ses yeux rivés au sol. À plusieurs reprises, Luis a tenté de la redresser avec des gestes et des mots de consolation. Mais ses efforts sont restés parfaitement vains.

Puis Dalila a prononcé ces mots :

— J'ai mangé du porc, mais je ne veux pas mourir. Je ne veux pas mourir.

Un scénario bien rodé

Carlos habite dans le même immeuble que nous, dans l'appartement qui se trouve juste au-dessus du nôtre, avec sa mère, sa sœur, une petite brune qui n'a pas encore l'âge d'aller à Jacques-Decour, et un chien, un des deux Sultan. Il a une grosse tête ronde et des mains immenses avec des doigts épais qui ont l'air d'être ceux d'un adulte. Carlos est dans la même classe que moi mais il paraît bien plus âgé. Ana pense qu'il a dû redoubler au moins une fois — c'est qu'il est bien plus grand que la plupart des autres enfants. Même quand on l'aperçoit de loin, on distingue une ombre au-dessus de ses lèvres, de petits poils très noirs qui lui font un début de moustache, comme une moustache au brouillon, toujours sombre et luisante bien que ses poils soient encore très fins. Son Sultan à lui est le plus petit — ce n'est pas le berger allemand mais l'autre, le tout petit chien avec la peau fripée, celui qui a l'air de porter une combinaison beaucoup trop grande pour lui.

Depuis quelque temps, le matin, Carlos me

suit. Mais il ne marche pas avec moi. D'ailleurs, nous ne nous sommes toujours pas adressé la parole — si je connais le nom de son chien, c'est parce qu'il l'appelle chaque fois qu'il s'apprête à lancer un bout de bois au-dessus du bac à sable, *Sultan, va chercher, à toi !*, ou lorsque le petit chien, perdu dans sa fourrure plissée, lui ramène le bâton, tout haletant : *c'est bien, Sultan, t'es un champion, mon Sultan !* On dirait qu'il aime prononcer le nom de son chien, probablement est-ce lui qui l'a choisi — personne n'a dû lui expliquer pour Médor et la France.

Carlos ne m'a jamais adressé la parole et il ne semble pas avoir l'intention de le faire un jour, mais il a pris cette habitude : il me suit. Chaque fois que je franchis le seuil de l'appartement pour me rendre à l'école, je sens qu'il est déjà à me guetter depuis le troisième étage. Lorsque, derrière moi, je ferme la porte à clé, je sais qu'il est déjà prêt, depuis longtemps peut-être — seulement il attend, juste au-dessus de ma tête, sur le palier, avant de se mettre en route. Quand je ferme la porte à double tour, pour Carlos, c'est comme si quelqu'un avait donné l'ordre de départ. Il s'engage dans l'escalier, en même temps que moi et au même rythme — juste un peu plus haut, voilà toute la différence.

C'est pour ça que lorsque je pose la main sur la poignée de la porte de l'immeuble pour descendre vers l'allée qui traverse la Voie-Verte, lui, il est seulement en train d'atteindre le bas de l'escalier. Il suit *très exactement* le même trajet que moi, mais quelques mètres derrière — du coup, invariablement, une fois que le départ a été donné, il franchit chacune des étapes qui nous séparent de l'école quatre ou cinq secondes après que je l'ai fait. Jamais moins, jamais plus. Je l'ai vérifié plus d'une fois, en comptant dans ma tête — il fait tout comme moi, mais quelques secondes derrière. Il reproduit chacun de mes gestes et les mêmes sons accompagnent sa progression : les talons qui frappent les marches de l'escalier, la porte que l'on pousse et les gonds qui grincent, les semelles en caoutchouc qui font vibrer la grille métallique qui tient lieu de paillasson. Puis la porte de l'immeuble qui se referme, faisant grincer les mêmes gonds, mais différemment — cinq secondes après, les bruits que j'ai faits en sortant de l'immeuble me parviennent comme en écho, dans mon dos.

Quand je retrouve Inès, Carlos ralentit le pas, pourtant. Visiblement, il tient à se trouver toujours à la même distance, de nous deux désormais. Quand nous nous faisons la bise, Inès et moi, j'ai toujours cette impression d'écho dans mon dos, mais, momentanément, les sons semblent comme étirés. On dirait la bande-son d'un film que, durant quelques instants, quelqu'un ferait passer au ralenti. Ces cinq secondes d'intervalle ont l'air très importantes pour lui, il les préserve en freinant ainsi. Lorsque nous nous remettons en marche, en revanche, Carlos se cale de nouveau sur notre rythme, effectuant chacun de nos pas cinq secondes plus tard, avec la régularité d'un métronome. Jusqu'à ce que nous retrouvions Luis.

Car à ce moment précis, Carlos change complètement d'attitude et de rythme. Dès que Luis apparaît, il n'est plus notre réplique en décalé : il a l'initiative de chacun de ses gestes. À la vue de Luis, c'est comme s'il surgissait de derrière un mur, brutalement. Dès qu'il l'aperçoit nous attendant au pied de son immeuble, Carlos se met à courir, comme le fait son chien Sultan chaque fois qu'il voit un bâton tournant sur lui-même au-dessus du sable. Il arrive en trombe jusqu'à nous, puis il pousse Luis en lui donnant une tape dans le dos, une tape qui claque comme un coup de ballon sec :

— Alors, Loulou, ma belle, ça va ?

On dirait que son brouillon de moustache frétille, il se perle souvent de petites gouttes de sueur malgré le froid du petit matin.

Luis au début ne dit rien. Il se met en marche à vive allure, il s'approche le plus possible d'Inès et de moi, parfois, même, il se glisse entre nous deux : nous faisons bloc. Comme pour la filature dans l'immeuble puis dans la cité, cette partie du scénario matinal se déroule depuis quelques jours très exactement de la même façon. Quoi que nous fassions, les gestes et les paroles de Carlos ne changent pas d'un pouce. Chaque matin, il semble tenir à jouer son rôle jusqu'au bout :

— Ben alors, ma petite Louloutte, qu'est-ce que t'as ? T'es fâchée, ma brunette ?

C'est toujours à ce moment-là que Luis devient tout rouge, bien qu'il demeure silencieux. Il se contente d'accélérer, Inès et moi nous l'imitons aussitôt. Mais Carlos ne nous lâche pas pour autant. Nous nous efforçons de ne pas le regarder, d'avancer aussi vite que possible, cependant il reste tout près de nous : dans notre dos, nous entendons sa respiration haletante avec dedans comme un ricanement. Le matin, désormais, c'est ainsi que ça se passe. Carlos marche derrière nous et nous ne pouvons pas le voir. Mais chaque fois qu'il en est là, impatient et nerveux comme l'est son chien lorsque son jeune maître brandit un bâton au-dessus de sa tête, j'imagine sa moustache se trémoussant d'excitation. C'est étrange, mais même si la scène se passe dans notre dos, je la *vois*.

Nous avons beau être trois, nous avons peur.

Luis surtout, car c'est bien lui qui met Carlos dans cet état-là : comme nous, il sait pertinemment que c'est lui que Carlos aurait envie de mettre à terre pour le faire rouler au sol avant de le frapper ou de le mordre. Pourtant, Carlos s'en garde, il est tout excité mais chaque matin il se retient : ça aussi, ça semble écrit d'avance.

Sur ce point comme sur tous les autres, Carlos suit toujours le même canevas, à la lettre. Il se contente de nous signifier sa présence en râpant le sol avec ses chaussures — il soulève plein de petits cailloux qui viennent frapper nos chevilles — avant de repartir de son côté. Non pas parce que son excitation retomberait, non : j'ai plutôt l'impression que c'est lorsqu'elle arrive à son comble que Carlos comprend qu'il est temps de s'éloigner.

Il donne à Luis une dernière tape dans le dos en serrant les dents, cette fois, le visage tout luisant de sueur et secoué d'un rire nerveux. Une tape qui claque bien plus fort que les précédentes et qui fait souvent perdre l'équilibre à Luis. Avant de disparaître, il lui lance toujours un *tapette, va !*

C'est alors que Luis éclate en sanglots : ses larmes semblent aussi figurer dans le scénario matinal. Nous l'entourons toutes les deux, Inès et moi, mais c'est toujours sur son épaule à elle que Luis laisse retomber sa tête. La masse de ses longs cheveux noirs et lisses tombe d'un coup et cache presque entièrement son visage, elle forme comme un rideau épais derrière lequel nous l'entendons sangloter convulsivement. Tout son corps se soulève puis s'affaisse légèrement, haletant, deux ou trois fois.

Au moment où Luis éclate, j'ai toujours l'impression que rien ne pourra l'arrêter, cette fois, que la peine est bien trop forte. Pourtant, il s'arrête toujours. Puis nous n'y pensons plus — jusqu'au lendemain matin.

« Les fleurs bleues »

Si j'ai choisi ce livre, c'est à cause du titre : *Les fleurs bleues*.

C'est en pensant à la couleur et à la préférence des abeilles que je l'ai pris dans les rayons de la bibliothèque du Blanc-Mesnil. Dès que j'ai déchiffré ces mots sur la tranche, je me suis dit que l'on pouvait peut-être y trouver une piste pour percer le mystère de la ruche. Ou bien le récit d'expériences semblables à celles que mon père aime tant imaginer, dans ses lettres. Avec d'autres insectes, éventuellement, mais des buissons de fleurs tout aussi bleues — des expériences florales dont on vérifie par la suite le résultat avec des poteaux, des rubans ou d'immenses ballons au milieu des champs. Il se peut que dans ce livre on confirme que les fleurs bleues sont préférables à toutes les autres, peut-être même qu'on le démontre — voilà exactement ce que je me suis dit. Et si ce qui vaut pour les abeilles valait pour d'autres insectes, pour tous les êtres vivants, qui sait : et si l'on préférait toujours le bleu, en matière de fleurs ? J'allais peut-être trouver dans ce livre des réponses à ces questions, des révélations dont je pourrais par la suite faire part à mon père : c'est d'abord pour ça que je l'ai choisi.

Et puis, de toute façon, même s'il n'en était rien, le titre à lui seul — j'en étais sûre — lui plairait. Même si dans ce livre je ne découvrais rien de nouveau quant au fond, je savais qu'il serait content d'apprendre que je pensais encore au bleu, que je continuais à chercher, de mon côté. Et que je n'oubliais pas les abeilles qu'il a voulu que nous apprenions à mieux connaître ensemble, en même temps, de part et d'autre de l'Atlantique. C'est pour ça que c'était ce livre que je voulais emprunter, ce livre et aucun autre. Dès que je l'ai vu, j'ai su que, quoi qu'il renferme, j'allais en parler dans une de mes lettres du lundi. Même s'il me faudrait le faire en espagnol : *Las flores azules*. Ce qui — j'y pensais aussi, alors que je me dirigeais déjà vers le bureau de la dame à l'autre bout de la salle — ne serait jamais la même chose qu'en français.

Car si c'est ce livre que j'ai choisi, ce n'est pas seulement à cause des abeilles et du bleu. *Les fleurs bleues* : j'adore ce titre. Tel quel. Si je pouvais, j'aimerais en parler à mon père sans y changer quoi que ce soit. J'aime chacune des lettres qui le composent, surtout le *e* silencieux à la fin du mot *bleues*, une lettre que j'ai tout de suite repérée et qui m'a attirée presque autant que la couleur, cette voyelle qu'on n'entend pas mais qui est indispensable pour que les fleurs soient vraiment *bleues*, au bout du compte.

Les *e* muets me fascinent depuis le début. Je les ai aimés dès les premiers cours de Noémie, à La Plata, dès que mon professeur de français m'a fait découvrir le premier d'entre eux, celui qu'elle cachait au bout de son prénom. Une voyelle muette ! Quand on ne connaît que l'espagnol, on ne peut pas imaginer que de telles choses existent — une voyelle qui est là mais qui se tait, ça alors ! J'étais plus que surprise — littéralement abasourdie. Et comme exaltée, soudain : je voulais tout savoir à propos de la langue qui était capable de faire des choses pareilles.

J'ai aimé mon premier *e* muet comme tous ceux qui ont suivi. Mais c'est plus que ça, en vérité. Je crois que, tous autant qu'ils sont, je les admire. Parfois, il me semble même que les *e* muets m'émeuvent, au fond. Être à la fois indispensables et silencieuses : voilà quelque chose que les voyelles, en espagnol, ne peuvent pas faire, quelque chose qui leur échappera toujours. J'aime ces lettres muettes qui ne se laissent pas attraper par la voix, ou alors à peine. C'est un peu comme si elles ne montraient d'elles qu'une mèche de cheveux ou l'extrémité d'un orteil pour se dérober aussitôt. À peine aperçues, elles se tapissent dans l'ombre. À moins qu'elles ne se tiennent en embuscade ? Même si je ne les entends pas, quand on m'adresse la parole, j'ai souvent l'impression de les *voir*. Et plus j'apprends le français, plus vite je les repère. Parfois, j'imagine que les voyelles muettes me voient aussi. De mieux en mieux, me semble-t-il, à mesure que j'avance, comme si elles avaient également appris à me connaître. Comme si, depuis leur cachette, elles avaient une attention pour moi — un regard, un geste, une manière de me rendre la pareille. J'aime nous imaginer dans cette communication silencieuse. J'en viens à me sentir en connivence avec l'orthographe française. Et j'adore ça.

Pourtant, la bibliothécaire est persuadée que ces *Fleurs bleues* ne sont pas pour moi.

Surtout depuis que j'ai ouvert la bouche.

Malgré tous les efforts que je fais, malgré toutes les voyelles que j'arrive à glisser sous mon nez, et de mieux en mieux, me semble-t-il, en ce mois d'avril de l'année 1979, j'ai encore un accent. Un accent que je déteste toujours autant. Chaque fois que j'ouvre la bouche, avant même de parler, j'en ai déjà honte. Depuis que la bibliothécaire m'a entendue, sa voix est devenue mielleuse, elle s'est mise à me parler comme si j'étais soudain devenue toute petite ou comme si elle venait de découvrir que j'étais un peu idiote.

— Tu ne veux pas plutôt prendre une bande dessinée ? Un *Tintin*, un *Astérix* ? Ou alors *Le petit Nicolas*, si tu tiens à lire un livre. Ça, c'est de ton âge. Tu as déjà lu *Le petit Nicolas* ?

À cause de mon accent, je passe pour une abrutie, il n'y a rien qui m'agace autant. Et voilà qu'elle se met à répéter sa phrase, en détachant les mots, comme si elle parlait au ralenti : *TU-AS-DÉ-JÀ-LU*-LE-PE-TIT-NI-CO-LAS ?

La bibliothécaire articule exagérément comme si je ne comprenais pas la langue dans laquelle elle me parle. Alors que je suis avec elle, plus encore chaque jour. Mais la bibliothécaire ne se rend compte de rien. Elle ne sait pas que je vois les *e* muets, que je suis persuadée que, de leur côté, ils me voient aussi. Qu'à notre façon nous sommes ensemble. C'est elle, l'abrutie.

Puis elle penche la tête sur le côté en se baissant un peu pour s'approcher de mon oreille, tandis qu'elle sourit bêtement. Mais c'est qu'elle sourit toutes dents dehors, avec un de ces sourires tout débraillés qui sont censés amadouer — j'ai vraiment horreur de ça.

Je la vois encore, inclinée vers moi avec son rouge à lèvres trop brillant qui a dérapé sur ses dents. J'ai peut-être du mal à bien prononcer certains mots, mais j'ai parfaitement compris où elle veut en venir et je suis bien décidée à ne pas me laisser faire.

— Je préfère ce livre, je préfère *Les fleurs bleues*.

— C'est un livre très difficile, tu sais ? Il y a plein de jeux de mots là-dedans. C'est pour les plus grands, tu risques de ne pas comprendre.

Je serre de plus belle le petit livre dans ma main droite, je ne suis pas disposée à le lâcher. La dame avance une main, alors je l'agrippe encore plus fort.

— JE-PRÉ-FÈ-RE-CE-LI-VRE.

Moi aussi je répète ma phrase en insistant sur chaque syllabe, en m'appliquant pour chacune d'elles, comme je le fais devant le miroir de la salle de bains, quand je m'entraîne pour les *u* et les voyelles sous le nez :

— CE-LI-V-R-E.

Nous restons silencieuses toutes les deux, un long moment, dans un pesant face-à-face. Je n'ai pas l'intention de lâcher. Je me tiens droite et la regarde du haut de mon mètre quarante.

Elle finit par comprendre que j'y tiens, à ces fleurs bleues.

— Si tu veux l'emporter chez toi, il faut quand même que tu me le donnes pour que je l'enregistre.

Je ne bouge toujours pas.

— Passe-moi le livre un instant, tu pourras le reprendre, mais c'est que je dois mettre un tampon dessus. Tu veux bien me le donner ?

Puis elle se met à faire des gestes. Je connais ça, avoir peur de ne pas se faire comprendre et se raccrocher aux gestes, ça m'amuse de la laisser patauger un peu. La bibliothécaire tend une main vers mon livre, puis elle saisit son tampon, le secoue au-dessus de ma tête avant de donner deux coups dans le vide pour que je voie ce qu'elle veut dire.

Mais je ne lâche pas le petit volume.

C'est que j'ai peur d'une entourloupe. Qu'elle range le livre sur une étagère trop haute pour moi et qu'elle tente encore de me refiler un *Astérix* ou *Le petit Nicolas*. Je finis tout de même par lui tendre *Les fleurs bleues*. Alors elle tamponne une petite feuille cartonnée qui est collée sur la dernière page du livre et écrit quelque chose dans un registre.

— Voilà, tu peux partir maintenant.

Il me semble la voir sourire d'un air entendu à une dame qui est assise à côté d'elle avant de l'entendre ajouter :

— Si Raymond Queneau est trop difficile pour toi, tu reviendras et tu choisiras autre chose, hein ?

Je file sans me retourner, le livre sous le bras, bien décidée à aller au bout de cette lecture. Et de beaucoup d'autres. Bien décidée aussi à ne *jamais* ouvrir *Le petit Nicolas*.

Tables basses

Un matin, Raquel et Fernando ont débarqué cité de la Voie-Verte, dans une voiture toute blanche remplie de cadeaux. Ce sont des amis de ma mère qui se sont réfugiés en Suède, des Argentins, également, d'anciens guérilleros, comme l'étaient mes parents et Amalia, qui les connaît bien aussi. Ils ont dû faire un long voyage pour venir jusqu'à nous, il paraît qu'avec leur voiture ils sont même montés sur un bateau — ils avaient quitté Stockholm quinze jours plus tôt. C'est qu'avant de venir nous voir, ils ont fait des haltes chez d'autres Argentins, en Allemagne, à Leverkusen, et même dans le nord de la France, du côté d'Amiens. Ils ont fait leur tournée de l'exil.

Je les avais déjà vus, en Argentine, il y a longtemps, bien que je ne sache plus très bien où ni à quel moment exactement. Ce que j'ai oublié, surtout, c'est sous quels noms je les ai connus. Du temps de la clandestinité, ils s'appelaient autrement, forcément. Comme tous les autres, ils ont porté des noms de guerre transitoires, Paco et Rita, Pepe et Mabel, Óscar et Jimena, allez savoir — j'aurais pu le demander à ma mère qui doit s'en souvenir, elle, mais qu'importent à présent les noms d'avant. Je crois même que je préfère ne pas m'en rappeler — nous sommes de l'autre côté de l'océan, maintenant, ce n'est pas plus mal que les anciens noms soient restés là-bas. Leurs visages en tout cas sont toujours les mêmes, ce sont eux que j'ai reconnus, comme le sourire qu'arborait Raquel en ouvrant la portière de leur voiture étincelante : *¡llegamos, por fin!* enfin nous sommes là !

Ils ne semblaient pas m'avoir oubliée non plus : dès qu'elle m'a vue, Raquel m'a caressé les cheveux puis elle s'est écriée : *comme tu as grandi !* C'est ce qu'on dit toujours aux enfants. *Eh oui, ça fait trois ans déjà*, a dit ma mère. *Trois ans ! Oui, trois ans*, Fernando et Raquel ont répété à tour de rôle ces mêmes mots, *mon Dieu !* Personne n'en a dit davantage, nous avions tous la gorge serrée, ça suffisait amplement.

On sait, ils savent. Inutile d'en dire plus. Stockholm, Amiens, Leverkusen et la Voie-Verte, c'est à cause de ce qui s'est passé là-bas. Et c'est ce qui nous a réunis là, devant le bac à sable, au Blanc-Mesnil. Tout paraissait absurde, soudain. Dérisoire ? C'est le mot qui m'est venu à l'esprit, même si je ne suis pas tout à fait sûre de savoir ce qu'il veut dire au juste. Il me semble que durant quelques instants tout le monde est resté en arrêt, que la scène s'est figée — d'un coup, nous étions tous un peu là-bas, un peu *à l'époque*, comme on dit. Des angoisses, des peurs, des images différentes ont dû traverser notre esprit, mais personne ne les a nommées. Personne ne les nommera, jamais, bien que nous les sachions à la fois distinctes et *communes* — c'est comme ça, l'exil, pas besoin de s'étendre. Rester quelques instants en silence devant un bac à sable sur lequel il y a, çà et là, de tout petits cristaux de givre suffit amplement. Tout petits, désormais, oui : il était tôt, il faisait froid, mais l'hiver n'était plus vraiment là, les parterres tout blancs n'étaient plus de saison.

Le coffre de la voiture de Raquel et Fernando était rempli d'objets et de petit mobilier emballé dans du papier kraft : un grand sac contenant des objets de décoration, trois tabourets, un banc et deux tables basses. Et là, oui, c'était une sacrée surprise !

Quand Raquel nous a montré tout ça, Amalia, ma mère et moi avons écarquillé les yeux en même temps — en plus, il paraît qu'il y avait encore plus de choses dans leur coffre à leur départ de Stockholm, partout où ils sont passés, ils ont laissé des présents. Mais ils ont gardé l'essentiel pour nous car quelqu'un leur a dit que nous en avions besoin. *¡Raquel, qué locura !* a dit ma mère, tenant sa tête dans ses mains — quelle folie, elle n'en revenait pas.

Ils avaient pourtant annoncé qu'ils auraient quelques surprises pour nous, ma mère nous l'avait dit la veille de leur arrivée, tandis que nous mangions des pâtes au beurre avec Amalia. Mais aucune de nous ne s'attendait à tous ces cadeaux.

Amalia avait imaginé qu'ils nous offriraient un bocal de harengs — et moi qui avais fait une grimace de dégoût, j'en ai eu honte par la suite. *Peut-être des bonnets de laine*, avait ajouté ma mère. *Ou de la viande séchée. Ils font sécher la viande de renne, là-haut, non ?* Mais tous ces objets et ces meubles, aucune de nous ne l'avait imaginé : c'est pour ça que nous sommes toutes les trois restées en arrêt devant le coffre plein à craquer, nous tenant les joues avec les mains en forme de V, comme pour nous empêcher de crier — on voit ça dans les dessins animés. Puis ma mère s'est encore exclamée, en espagnol, *quelle folie Raquel, vous n'auriez pas dû !* Mais il était grand temps de décharger la voiture car il faisait quand même drôlement froid.

Amalia a demandé à Raquel et à Fernando de nous laisser faire, *c'est la moindre des choses*, a dit ma mère, *vous n'allez pas en plus monter les étages avec tous ces cadeaux, il n'y a pas d'ascenseur, vous savez*. Mais en véritable Argentin, Fernando s'est insurgé, *vous n'y pensez pas, voyons !* Il n'y avait pas là-dessus matière à discussion, nous le savions : il était le seul homme devant le bac à sable, donc, forcément, l'homme de la situation. C'est ainsi et ça le sera toujours. En un clin d'œil, les tabourets et le banc suédois se sont trouvés sur une des épaules de Fernando, et les deux tables sous son bras droit. Comment avait-il fait ? Et, par-dessus le marché, il arborait un grand sourire pour bien signifier aux filles que tout ça ne lui coûtait rien — un tel exploit était naturel, puisqu'il était là. Du coup, ma mère a fait le commentaire attendu, *quand il y a un homme, ça change tout, pas vrai ?* À moins que ce ne fût Amalia ? Fernando, toujours aussi détendu, m'avait fait signe pour que je parte devant, avec lui, *c'est par où ? dis-moi, je te suis*. Il voulait en finir au plus vite et laisser les femmes bavarder à leur aise devant la voiture, tout à leurs retrouvailles. Quelques minutes plus tard, elles nous rejoignaient sous le plafond à tuyaux.

Le plus surprenant, dans cet amas de cadeaux suédois, c'étaient les objets de décoration, les premiers objets de cette sorte à entrer dans l'appartement du Blanc-Mesnil : Fernando et Raquel nous avaient apporté de Suède des vases et plein de récipients de verre coloré que j'ai pris le temps de déballer lentement, un par un, histoire de faire durer le plaisir. Il y en avait une dizaine au total, de toutes les couleurs, *¡qué locura, Raquel !* Des vases très longs et étroits qui ne pouvaient contenir qu'une ou deux fleurs. Des sortes de bols, aussi, des récipients au fond arrondi dont je me demandais à quoi ils pouvaient bien servir, mais qui n'en étaient pas moins jolis. La plupart d'entre eux semblaient avoir des bulles prises dans la pâte de verre. Ça devait pétiller à l'intérieur quand la matière était encore chaude, mais tout paraissait s'être arrêté d'un coup, c'était sans doute pour cela que les bulles étaient restées prisonnières. Elles étaient toujours disposées différemment, certaines d'entre elles étaient grandes et allongées, mais la plupart étaient toutes rondes et aussi petites que des bulles de soda.

Tandis que je déballais tout ça, je sentais qu'ils me regardaient. Que ma mine éblouie leur faisait plaisir, aussi, surtout à Raquel.

— Tu peux sans doute en prendre quelques-uns pour ta chambre, si ta mère est d'accord.

Bien sûr qu'elle était d'accord, elle m'a même proposé de répartir nos cadeaux suédois dans la maison, à ma guise, petits meubles compris. Alors je me suis mise à courir dans tous les sens. J'ai installé le banc dans le couloir, près de la porte d'entrée, et les tabourets autour de notre table à tout faire — ils tombaient bien, ces tabourets, puisque ce jour-là, précisément, nous avions des invités. Aussitôt, j'ai fait plusieurs révérences à l'adresse de Raquel et de Fernando :

— Chaise ou tabouret, tabouret ou chaise, comme il vous plaira.

Avec les vases et les récipients colorés, je ne savais pas très bien quoi faire — c'est qu'il n'y a pas beaucoup de meubles chez nous, seulement le strict nécessaire trouvé chez Emmaüs. Alors j'ai placé les vases les uns à côté des autres, sur le buffet, devant les livres empilés. J'ai un peu hésité pour les bols, il me semblait qu'ils étaient bien trop jolis pour aller dans la cuisine — je me suis demandé ce que pouvaient bien faire les Suédois avec ces objets. Peut-être les remplissent-ils de cailloux et de coquillages ? Le mieux était sans doute de les placer sur les tables basses, en rond. Mais encore fallait-il trouver une place pour les tables en question.

Tandis que je m'affairais, je ne perdais pas une miette des paroles de Raquel qui parlait de Stockholm et de la Suède.

Il paraît que, là-bas, il y a partout des lacs et des forêts et plein d'arbres très hauts, immenses même, comme en Argentine, du côté de Bariloche ou de San Martín de los Andes. Alors, de temps en temps, ils en coupent quelques-uns et ils en font des ponts, des maisons et des meubles. Surtout des meubles, en grande quantité. C'est même devenu leur spécialité, ils se sont fait connaître pour ça dans le monde entier.

J'ai eu l'impression que Raquel s'interrompait quelquefois pour regarder autour d'elle les tuyaux des murs et du plafond. À plusieurs reprises, elle a regardé par la fenêtre le petit sentier qui traverse la cité. Durant quelques instants, j'ai eu un peu honte, il m'a semblé voir dans ses yeux que tout ça lui semblait assez triste. Mais dès qu'elle s'est remise à parler de la Suède, je n'y ai plus pensé.

Les Suédois aiment les bibelots aussi. En fait, ils adorent leurs maisons et tout ce qu'ils mettent dedans. C'est à cause du froid qu'il fait là-bas. Et des jours si courts pendant une bonne partie de l'hiver, ces mois durant lesquels il fait presque toujours nuit. C'est pour tenir le coup, pour supporter ces si longues ténèbres, qu'ils ont eu cette idée : s'occuper de leur intérieur.

Todo muy moderno, commentait à chaque fois ma mère, sans que l'on sache très bien s'il s'agissait d'une critique ou d'une approbation de la vie à la suédoise.

Oui, Raquel en convenait, d'après elle, tout ce qui est suédois est forcément moderne, ils sont en avance sur tout, ils n'arrêtent pas d'inventer. *Quoi, par exemple ?* C'était moi qui l'interrogeais, cette fois. Alors Raquel a expliqué que les Suédois n'arrêtaient pas d'imaginer de nouveaux objets, tout ce qui concerne la vie quotidienne les passionne et les inspire, du tire-bouchon à la cafetière. Tout là-bas est plus moderne et plus pratique qu'en Argentine et même bien plus qu'ici, en France : en Suède, on ouvre les bouteilles et les boîtes de conserve sans effort, on se sert du thé sans en mettre partout, on se brosse les dents sans se fatiguer inutilement. Les Suédois ont dans leurs maisons toutes sortes de couteaux électriques, des remonte-cornichons ingénieux, des ramasse-miettes tout petits et fins qui font tout disparaître après les repas, comme par enchantement. Et tout ça est toujours surprenant, toujours nouveau — *moderno*. Comme les tables basses qu'ils nous avaient apportées de là-bas, un bel exemple de fantaisie à la suédoise : des tables ovales mais pas tout à fait, la forme du plateau étant bizarrement bombée à l'une des extrémités. Mais il ne s'agissait pas d'un défaut de fabrication : cette asymétrie, c'était fait exprès.

Ces tables, justement, je ne savais toujours pas où les mettre. *C'est le genre de table que l'on met devant un canapé*, a dit Raquel, voyant qu'à plusieurs reprises je les avais changées de place. Mais nous n'avons pas de canapé, c'est ça le problème. Je crois qu'elle en a pris conscience aussitôt après l'avoir dit — je l'ai vue rougir, gênée. J'ai finalement remis les deux tables à l'endroit où je les avais placées au tout début, côte à côte, devant la fenêtre du salon. Puis je me suis assise en tailleur devant la plus petite d'entre elles, tandis que les adultes s'installaient autour de la grande table, qui sur une chaise, qui sur un de nos tabourets tout neufs, pour boire un maté et discuter un peu.

Tandis qu'ils parlaient, j'ai repris mon tricot, une écharpe au point mousse — c'est déjà une longue histoire, les écharpes au point mousse et moi. Depuis que ma grand-mère m'a appris à tricoter, à La Plata, il y a plus de deux ans, déjà, je me suis lancée à trois reprises dans la confection d'une écharpe au point mousse, mais je n'ai jamais réussi à en finir une. C'est que, souvent, je me rends compte que j'ai perdu des mailles, alors je suis obligée de détricoter quelques rangs, de revenir en arrière pour combler les trous. Chaque fois, il me faut tout reprendre à partir de l'endroit où je me suis trompée. Je corrige mon erreur. Mais quelques rangs plus loin, il arrive que je me trompe encore.

C'est long de faire une écharpe. Deux hivers de suite, j'ai abandonné car je n'avais toujours pas fini alors que le printemps se faisait déjà sentir. Ça m'est arrivé en Argentine, à la mi-septembre — vers la fin de l'hiver austral. Mais à peine quelques mois après mon deuxième abandon, j'ai pu recommencer ici : avec ces saisons inversées auxquelles j'ai encore du mal à me faire, mon départ argentin au tout début de l'année 1979, au cœur de l'été, s'est transformé, le temps d'un voyage en avion, en une arrivée hivernale en France, c'est pour ça que je n'avais pas eu besoin d'attendre toute une année pour faire une nouvelle tentative. Mais, visiblement, il ne suffit pas de prendre l'hiver à rebours dans l'autre hémisphère : tandis que je m'y remettais, je me disais qu'il était probable que je cale une nouvelle fois. La neige et le grand froid étaient loin, déjà, et mon écharpe n'était toujours pas finie. Cependant, je n'avais pas encore renoncé. C'est pour ça que, tandis qu'ils parlaient, je me suis installée avec mes pelotes et mes deux aiguilles, bien décidée à prolonger ce qui n'était encore, j'avoue, qu'un tout petit rectangle de laine rouge.

C'est Raquel qui a commencé, après son second maté. Soudain, elle s'est mise à passer des noms en revue. Parfois, Fernando prenait le relais en avançant à son tour un nom, mais en général, c'était Raquel qui les égrenait. À croire que, dans sa tête, il y avait plein de listes, des listes interminables. *Juan s'est réfugié en Suède, à Göteborg. María est morte, en juin 1976. Cristina, la même chose, en septembre de la même année.* Quand Raquel passait ces personnes en revue, elle donnait toujours le vrai nom des gens — si elle évoquait parfois le nom de guerre, c'était après coup, comme entre parenthèses, une manière d'être sûre que tout le monde voyait de qui elle voulait parler. *Violeta (Carmen) a disparu. José (Miguelito), la même chose.* Mais pour beaucoup d'entre eux, elle ne savait pas ce qu'ils étaient devenus : c'est pour cela qu'elle disait à voix haute tous ces noms. Raquel semblait éprouver le besoin de tout reprendre depuis le début, même les certitudes, pour mieux cerner les lacunes — et inviter ainsi Amalia et ma mère, éventuellement, à combler les trous. Raquel ne posait jamais la question directement, mais tout le monde comprenait ce qu'elle attendait : quand, après avoir prononcé un nom, sa voix montait dans les aigus, quand, soudain, après le nom, il n'y avait rien derrière, ça voulait dire qu'elle invitait ses hôtes à enchaîner, à remplir les blancs, si elles le pouvaient.

— Julio ?...

— Lequel ? Il y en avait plusieurs, des Julio, a dit ma mère.

— Julio, celui qui venait d'Ensenada. Julio — *El Polaco.*

— Disparu. 1976.

Quand un trou était comblé, Raquel faisait une pause. Le temps qu'il lui fallait pour intégrer une nouvelle information semblait correspondre, à peu de chose près, au temps que prenait une tournée de matés — j'ai remarqué que c'était toujours après le maté suivant, tout de suite après le petit sifflement que fait la calebasse quand elle se vide, alors que Raquel la tendait déjà à ma mère pour qu'elle serve la personne dont c'était désormais le tour, qu'elle reprenait la parole, dans l'espoir que ma mère ou Amalia l'aident à compléter l'inventaire des exilés, des disparus et des morts. *Magda, Mexique. Gustavo, prison. Ernesto ?...*

Devant les tables basses, je continuais mon tricot, tant bien que mal. Tous les trois ou quatre rangs, je revenais en arrière. Pourtant, je ne perdais pas une miette de la liste de Raquel, j'essayais aussi de la graver dans ma mémoire. Même si la plupart du temps, moi, je ne voyais pas du tout de qui elle voulait parler. Mais je savais pertinemment que ce n'était pas grave, au fond — quelquefois on retient mieux quand on ne comprend pas tout. Quand on regarde ailleurs, quand on suit une voix tout en essayant d'avancer dans un tricot. Comme pour les langues, il arrive que les choses nous restent mieux ainsi, précisément parce qu'on s'est laissé porter, parce qu'on a lâché prise. Comme quand on apprend une comptine. Voilà à quoi je pensais tandis que j'écoutais la liste de Raquel — certains trous étaient quelquefois comblés par Amalia et ma mère, mais d'autres demeuraient. Par moments, il y avait plusieurs noms consécutifs après lesquels on ne pouvait rien dire. Absolument rien.

Malgré cela, je suivais toujours la liste. J'essayais également de mémoriser les silences, tandis que je continuais mon écharpe au point mousse. Tout en me disant aussi qu'elles étaient vraiment bizarres, ces tables suédoises, trop hautes surtout. C'est alors que j'écoutais Raquel, faisant et défaisant mon tricot, que je m'en suis rendu compte. Certes, j'étais assise par terre, mais le plateau m'arrivait presque au niveau du menton. Même en changeant de position, en glissant les pieds sous les fesses comme pour me faire un coussin qui me rehaussait un peu, elles étaient encore trop hautes. Elles ont vraiment été conçues pour les Suédois, pour les géants blonds du Grand Nord — voilà ce que je me disais tandis que je ratais encore une maille, avant de revenir en arrière.

Le soir même, je me suis dit que cette écharpe, comme les deux précédentes, avait de fortes chances de ne pas être achevée avant que le printemps ne s'installe pour de bon. Qu'elle risquait de passer de longs mois au fond d'un tiroir, encore à mi-chemin entre la laine en pelotes et le travail fini. À moins que je ne la détricote pour faire de tout ça une seule et même boule ? C'était à voir.

« *Señorita* »

Le mot me fait plaisir et il me fait très peur en même temps. *¿Ya es señorita ?* C'est ce que Raquel a demandé à ma mère alors qu'elles se trouvaient toutes les deux dans la cuisine, je l'ai parfaitement entendue. Je m'y rendais aussi mais je me suis aussitôt immobilisée pour me cacher dans l'ombre du couloir, je savais que ce sujet me concernait, or je ne voulais rien perdre de ce qu'elles allaient se dire pensant que je ne les écoutais pas.

Si elle a posé cette question, je sais que c'est à cause de mes seins. Enfin, on ne peut pas vraiment dire que j'ai des seins — je crois toutefois que ça va bientôt arriver, mes tétons sont tout durs depuis quelque temps, ça me fait comme deux énormes boutons sur le torse. À l'école, il y a un garçon qui s'en est moqué, *alors, ça pousse ?* Au début, je n'avais pas compris, mais quand Inès m'a prise par le bras en disant *laisse tomber, va !*, j'ai su qu'il faisait allusion à ces deux bourgeons qui sont de plus en plus saillants, du coup j'ai rougi.

C'est ma mère qui s'en est aperçue en premier, quelques jours plus tôt. Moi, je n'avais rien remarqué jusque-là. Je venais de prendre une douche, j'avais laissé la porte ouverte. Soudain, elle s'est arrêtée sur le seuil, puis elle s'est mise à me regarder tandis que je m'essuyais. Elle avait l'air médusée mais aussi un peu abattue. Puis, comme dans un sursaut, elle a crié *viens voir !* Ce n'était pas à moi qu'elle s'adressait, mais à Amalia qui est aussitôt apparue, je voyais sa tête dans l'embrasure de la porte, juste à côté du visage de ma mère. Elle a parlé tout bas lorsque Amalia s'est approchée, avec un mélange de surprise et d'inquiétude qui semblait désormais s'être immiscé dans sa voix. Puis ma mère a fait un geste du menton dans ma direction, *tu vois ?...* Sa phrase semblait s'être interrompue en pleine course, mais manifestement elle posait une question. Elle demandait à Amalia si elle voyait aussi cette chose qu'elle venait de remarquer chez moi, elle avait besoin d'une confirmation. *Enlève la serviette et reste debout. N'aie pas peur, nous sommes entre filles*. J'ai ouvert ma serviette, alors ma mère a repris :

— Tu vois ?

— Ah, oui... Je vois. Je vois très bien...

Amalia a d'abord fait une drôle de moue, comme si ce qu'elle avait sous les yeux la rendait dubitative, avant d'enchaîner sur un sourire, sans doute pour détendre ma mère qui, de son côté, avait l'air de plus en plus effrayée. *Ya va para señorita*. Et voilà que ma mère s'est mise à lever les yeux au ciel, comme si un terrible malheur s'était abattu sur la Voie-Verte. Cette fois, Amalia a éclaté de rire, *ne fais pas cette tête, ce n'est pas si grave, voyons !* C'était de moi qu'elles parlaient, mais elles le faisaient comme si je n'avais pas vraiment été là — peut-être parce que, sans m'en rendre compte, j'étais déjà en train de devenir quelqu'un d'autre. *Una señorita*, c'est ce qu'on dit.

C'est pour ça que lorsque Raquel a prononcé ce mot, je n'ai pas été très surprise : *señorita*, elle n'est pas la seule à le dire, voilà ce qui m'attend, voilà ce qui se voit déjà un peu. Mais est-ce déjà le moment ?

Non, non, pas encore, a répondu ma mère, *todavía no*. Toutes les deux ont paru soulagées par sa réponse. *À mon avis, ça ne va pas tarder*, a ajouté Raquel. Je ne voyais pas ma mère, seules leurs voix parvenaient jusqu'à moi tandis que je demeurais immobile, dans le noir, le dos collé au mur. Mais j'étais sûre que ma mère avait une nouvelle fois levé les yeux au ciel comme pour dire, *ne parle pas de malheur, il ne manque plus que ça !* C'est imminent, apparemment. Je ne suis presque plus une enfant. *Señorita*, ça va bientôt me tomber dessus.

Le soir, dans mon lit, je touche souvent mes deux bourgeons pour apprécier l'avancement de la transformation. Parfois il me semble que cette partie de mon corps est devenue un peu douloureuse, mais je me demande si c'est vraiment le mot qui convient. Peut-être est-ce seulement une sensation nouvelle ? Quelque chose sort de mon corps ou s'y installe, mais il me faut encore apprendre de quoi il s'agit, au juste.

Les enfants réfugiés, c'est nous !

L'hiver avait définitivement quitté Le Blanc-Mesnil quand j'ai appris qu'il résistait encore tout en haut des montagnes, dans les Alpes. C'est ma mère qui me l'a dit, après m'avoir demandé si je voulais bien partir quelques jours durant les vacances scolaires toutes proches avec une famille française qui voulait aider les enfants réfugiés. Ils proposaient de m'emmener avec eux en Savoie où ils vont souvent faire du ski. C'est un merveilleux cadeau qu'ils nous faisaient là — *tu passeras quelques jours avec toute une famille française, dans la neige et les montagnes*. Difficile de faire mieux en termes d'immersion.

Ma mère et moi avions rendez-vous à Meudon, chez un couple qui a quatre enfants — seuls les aînés devaient faire le voyage en Savoie, leur mère allait rester avec les plus jeunes des enfants.

Meudon, ce n'est pas si loin du Blanc-Mesnil, pourtant, tout y est différent. La lumière, d'abord — à Meudon, l'air est pur et transparent. Je ne sais pas comment l'expliquer, mais, en quelques kilomètres à peine, en passant de l'autre côté de Paris, c'est comme si une main avait réussi à faire disparaître le voile de poussière qui recouvre toutes les choses du côté de la Voie-Verte. Même quand il fait beau, au Blanc-Mesnil, tout paraît plus opaque, plus sombre que de l'autre côté de Paris. Au Blanc-Mesnil, le blanc n'est jamais tout à fait blanc, en fait, sauf quand il tombe du ciel, quand il s'impose — qui a eu l'idée de donner ce nom à la ville, était-elle blanche et lumineuse autrefois ? J'ignore si Meudon porte bien son nom, mais ce qui est certain, c'est que tout y est à sa place. Comme dans l'appartement de la famille qui nous attendait : malgré les sacs, les skis et les grosses chaussures qui étaient dans l'entrée, prêts à être embarqués dans la voiture, alors que tout le monde s'affairait en prévision du départ, tout était *très exactement* là où il fallait.

Dès que j'ai découvert Meudon, je me suis dit qu'il était probable qu'il y ait là beaucoup de chiens qui s'appellent Médor — j'en ai même été aussitôt persuadée. Plus encore que les alentours de *Claparède* avec ses immeubles aux cours si soignées, la vue de Meudon m'a ramenée à Noémie et à cette France qu'à La Plata j'avais découverte avec elle, dans les pages du joli manuel au papier glacé. Ce pays-là existait bien, il était là, dans ce décor idéal, loin du *barrio latino* version Blanc-Mesnil, de la Voie-Verte et des Quinze-Arpents.

À peine étions-nous arrivées dans l'appartement de Meudon qu'un garçon nous a rejoints avec ses parents — un enfant chilien, Eduardo, qui devait aussi participer au voyage en Savoie. Il est assez beau, Eduardo, grand et costaud, avec une grosse tête couronnée de cheveux châtains légèrement ondulés.

— Ça va aller, m'a dit ma mère au milieu des sacs et des duvets.

À moins que ce ne fût une question qu'elle me posait — *est-ce que ça va aller ?* Face au doute j'ai répondu comme si c'en était une, pour la rassurer et me rassurer, moi, par la même occasion :

— Oui, bien sûr, tu peux partir.

Les parents d'Eduardo sont partis avec elle. Et nous sommes tous les deux restés avec la famille de Meudon, car les enfants réfugiés, c'est nous.

L'aînée des enfants, Valérie, a le même âge que moi et des cheveux châtains serrés en une natte épaisse.

— Montre-lui, a dit son père.

Alors je l'ai suivie.

Sur son lit, il y avait plusieurs combinaisons de ski qui attendaient, côte à côte, autant de possibilités qui s'offraient à moi pour lutter contre le froid quand j'allais être avec les autres dans la neige.

— Choisis celle que tu préfères, m'a dit Valérie.

Elle pouvait aussi me prêter des gants si les miens n'étaient pas assez chauds, un bonnet, et le reste. Superposant quelques-uns de ces vêtements à ceux que j'avais déjà sur moi, j'ai eu l'impression d'enfiler une armure colorée — en quelques minutes, j'étais équipée.

Valérie et moi avons sympathisé simplement, étonnamment vite. J'étais heureuse de constater que nous arrivions à communiquer sans difficultés — contente que mon français du Blanc-Mesnil ait aussi cours à Meudon, qu'il ne fasse pas trop désordre. Mais lorsque, soudain, elle m'a demandé de répéter ce que je venais de dire, je me suis sentie rougir, bouillonner intérieurement :

— Quelle distance nous sépare de la montagne, c'est bien ça, ce que tu veux savoir ?

Oui, c'était bien ce que je lui avais demandé, mais Valérie avait besoin d'une confirmation. Alors j'ai repris ma phrase en l'accompagnant d'un geste.

Ce que je me demandais aussi, c'était quelle distance me séparait encore d'un français qui serait pleinement à moi. *Est-ce que j'y arriverai un jour, alors que ça fait si longtemps que je me suis mise en route ?*

Quant à Eduardo, c'est auprès de Cyril — le frère de Valérie — qu'il a trouvé quelques affaires à sa taille. Lorsqu'il a déboulé dans la chambre sous un bonnet vert et bleu à pompons, nous avons tous éclaté de rire, alors il s'est mis à faire l'idiot :

— Elle est où cette neige ?

Il avançait, les bras en avant, comme s'il s'apprêtait à faire une prise de karaté, cherchant des yeux un ennemi imaginaire, prêt à en découdre avec l'hiver annoncé, tandis que, de part et d'autre de ses oreilles, deux pompons verts étaient secoués dans tous les sens.

Pour Eduardo aussi, c'était la première fois, aussi bien le ski que l'immersion dans une vraie famille française : ses parents l'avaient dit à ma mère, en espagnol, alors qu'ils franchissaient le seuil pour nous laisser là, dans la lumière de Meudon. Nous nous étions aussitôt regardés avec un sourire, mais sans dire un seul mot. C'est, je crois, parce que Eduardo était dans le même état que moi : anxieux mais désireux de plonger dans le bain sans en perdre une goutte. Tandis que nous nous regardions, je me suis fait cette promesse à moi-même : lui parler le moins possible et en aucun cas en espagnol, sauf si c'était absolument nécessaire. Je ne voulais pas que nous fassions bande à part, que nous jouions aux enfants réfugiés qui se réconfortent. Je ne voulais pas *le coller*, comme dit tout le temps Inès. Pas plus que je ne voulais qu'il me colle. Il n'en était pas question.

Bientôt, d'autres personnes ont fait leur apparition dans l'appartement de Meudon, un homme avec sa fille. C'est que nous n'allions pas partir avec seulement une famille, il y en avait deux ! L'autre mère n'allait pas participer au voyage, non plus — nous devions partir avec les deux papas, Paul et Denis, qui avaient l'air de bien se connaître. Nous serions cinq enfants en tout.

Jamais je n'avais vu autant de neige d'un coup.

Là-bas, tout était blanc, partout, pas seulement sur les sommets mais aussi sur le bord des routes et autour de la maison, un chalet tout en bois, comme j'en avais déjà vu dans les livres. Sauf que là, c'était pour de vrai, et j'y étais — c'est la première impression que j'ai eue, d'être entrée dans l'image d'un livre, de m'y être glissée, l'air de rien. Ça alors ! Tout n'était que blanc et les gens étaient *dedans*. Ce qui n'avait décidément rien à voir avec la neige que j'avais déjà connue, avant c'était de la rigolade. Là-haut, c'est comme d'être tout au fond d'un pot de crème fraîche, ou alors une toute petite chose au milieu d'un plat de purée.

Je pourrais passer des heures à regarder le blanc autour de moi en espérant que le temps s'arrête à tout jamais — depuis ces premiers jours passés à la montagne, je le sais. J'ai tout de suite aimé cette neige qui recouvre tout et je sais que je l'aimerai toujours. Le blanc et moi, c'est pour la vie — comme la paix qui va avec le blanc, le silence dans lequel le petit chalet était blotti.

Là-haut, tout résonnait différemment. Chaque son se détachait parfaitement sur fond blanc — la voix de Valérie demandant si tout le monde avait bien pris son sac avant que son père, Paul, ne ferme le coffre de la voiture, *vlan !* Le bruit de la clé que Denis avait glissée dans la serrure, *cric*, puis celui de la porte s'ouvrant sur un intérieur couleur ocre, *wouin*. Comme chaque pas sur le petit chemin qui nous séparait du chalet, *floc*, *floc*, *floc*. Là-haut, tout existait pleinement. Même les mots les plus courants, prononcés dans un décor de neige, remplissent un grand espace autour d'eux. Ils ont l'air de durer plus longtemps, aussi : portées par la fumée qui sortait de toutes les bouches, les syllabes s'incrustaient dans l'air froid comme des cailloux scintillants.

C'est le lendemain de notre arrivée que j'ai découvert le ski. Enfin, ce n'est pas tout à fait ainsi qu'il faudrait le dire. Tout autour, les gens filaient dans tous les sens, tandis que moi, je découvrais le déséquilibre absolu. Tout ce blanc ne pouvait pas être que paix et douceur, voilà qu'il avait quelque chose d'autre à dire. Accrochez-vous ! La neige amortit parfois, mais elle porte, elle secoue aussi, elle peut même mettre à terre. Renverser, retourner, faire choir — *plaf !* Impossible de rester immobile, même sur le bout de terrain apparemment plat sur lequel Paul avait cru bon de m'initier. Comment était-ce possible ? Ce n'était donc qu'une apparence, cette douceur — en dessous, ça bougeait sans cesse, à croire que sous le blanc, c'est la houle qui se cache. Pourtant, les autres enfants étaient partis devant moi, même Eduardo, bien que ses mouvements fussent plus hésitants que ceux des autres enfants. J'étais la seule à chavirer ainsi, à crier tandis que Paul essayait encore une fois de me relever.

— N'aie pas peur, tu ne risques rien…

Tous les autres étaient déjà loin tandis que moi, je hurlais en m'accrochant à Paul. Plus d'une fois, j'ai perdu mon bonnet, même les bâtons qui étaient censés m'aider ont volé loin de moi. J'avais beau tenter de me reprendre, je n'y arrivais pas.

C'est au plus fort des secousses que je me suis mise à penser à Astrid. À quoi aurait ressemblé la scène de son œil perdu si elle s'était déroulée là, sur le roulis de la neige ? Si son œil d'avant avait quitté son orbite au milieu du paysage laiteux de Savoie ? Tandis que mes jambes partaient dans des directions opposées avant que je ne m'écrase le nez dans la poudreuse, j'imaginais son œil, cette boule blanche et verte avec, à l'intérieur, de si jolis rais bleus. J'ai même eu l'impression de voir son œil perdu baignant dans une flaque rouge, là, juste devant moi, car du sang a forcément accompagné l'œil d'Astrid au moment où il a quitté son visage. Mais tout ce rouge sous mon nez, ce n'était que mon bonnet qui avait une nouvelle fois volé dans les airs, un bonnet rouge avec un pompon coloré que Paul allait bientôt m'aider à remettre sur mon crâne tout en m'offrant un bras pour que je me relève.

Le lendemain, par chance, la houle a été moins

farouche. De moins en moins, au fil des jours. Peu à peu, j'ai fini par l'apprivoiser.

Tous les soirs, nous rejoignions le chalet où nous mangions souvent des pâtes et du fromage. Du reblochon, surtout : une étape essentielle durant cette semaine d'immersion — pour Eduardo aussi, je crois, même si nous n'en avons jamais parlé ensemble, fidèles à notre pacte silencieux. Pourtant, chaque fois que le reblochon faisait son apparition en fin de repas, nos regards se retrouvaient : c'était une manière de partager cette expérience, de la faire ensemble. De nous donner du courage, aussi.

L'essentiel, avec le reblochon, c'est de ne pas se laisser impressionner. Il y a clairement une difficulté de départ, cette barrière que l'odeur du fromage dresse contre le monde extérieur. Mais il ne faut surtout pas se méprendre à son sujet. Ce n'est pas de l'agressivité de sa part, c'est juste la manière qu'a le fromage de dire : *as-tu vraiment envie ? es-tu prêt ?* Cette senteur, c'est ce qu'il a trouvé pour être là, pleinement — c'est qu'il ne veut pas être avalé sans qu'on s'en rende compte, être gobé comme si de rien n'était.

De l'autre côté de la table, chaque fois qu'on en venait au reblochon, Eduardo me regardait avant de planter ses dents dans la pâte crémeuse. C'était comme si nous nous prenions par la main — nous en avions besoin pour sauter par-dessus la haie odorante. L'un en face de l'autre, nous

nous encouragions du regard avant de dire au fromage : *oui, nous sommes prêts, nous sommes là, avec toi.* Nous arrivions à ce point de plus en plus vite au fil des jours, avec de plus en plus d'entrain aussi : c'est que derrière l'odeur, la matière n'a rien à voir, après la senteur âpre qui saisit le nez, le goût dit autre chose. *Reblochon* : avec son *e* presque éteint dans la première syllabe et sa finale qui vient se placer pile poil sous le nez, le nom de ce fromage est parfait.

Sur le chemin du retour, j'ai eu l'impression de comprendre d'autres choses importantes, alors que nous roulions en voiture vers la région parisienne.

Les hauteurs avaient beau être prises dans le blanc et la neige, en bas, c'était déjà le printemps, pleinement. Nous avons traversé une région vallonnée avec des parcelles de toutes les couleurs, ponctuées par des villages, des clochers et des maisons sans âge. C'était la même région qu'à l'aller, mais c'est au retour que j'ai été éblouie, que ce paysage que j'avais trouvé beau une semaine plus tôt, soudain, m'a saisie. Peut-être parce que les couleurs, alors que nous étions là-haut, avaient eu le temps de devenir plus intenses encore. À moins qu'une semaine plus tôt j'aie été incapable de les voir telles qu'elles me sont apparues au retour ? Ces collines, c'était comme une mosaïque recouvrant le paysage tout entier, un assemblage de couleurs et de matières qui n'en finissait pas, une panachure à l'infini faite de terre et de bouts d'histoires. Ça alors ! Et ici, on appelait ça la campagne ! Jusque-là, la campagne, pour moi, c'était un paysage uniforme et plat, une étendue d'un vert terreux et sale : un paysage que l'on n'a pas besoin de regarder plus de quelques secondes car il ne cesse de dire la même chose. La Pampa, c'est l'ennui, à l'infini. Ce qui nous attendait au pied des montagnes n'avait rien à voir avec la campagne que j'avais pu voir là-bas : c'était un verger, un immense jardin habité, où les gens, partout, avaient su laisser leur trace.

Je crois que j'ai beaucoup avancé durant cette semaine passée dans la neige.

Sauf pour *Les fleurs bleues*.

Je commençais à me dire que la bibliothécaire du Blanc-Mesnil avait peut-être raison. Je n'y comprenais rien. Ou du moins pas grand-chose. J'avais pris le livre avec moi, en Savoie, espérant que ma semaine d'immersion française m'aiderait à en venir à bout. Mais il n'en a rien été. Je me disais que c'était un livre étrange, quand même, où il n'était pas du tout question d'abeilles. Pas plus que de fleurs bleues, d'ailleurs. Tantôt, on était sur la Seine, sur une péniche. Puis très loin dans le temps, avec d'autres personnages qui avaient pourtant l'air d'être les mêmes. On y buvait. On y dormait, souvent. Comme moi, d'ailleurs, chaque fois que j'essayais d'avancer dans ma lecture — après ma dernière nuit dans le chalet, je me suis réveillée la tête sur les *Fleurs bleues*, j'ai même froissé plusieurs pages du livre sans faire exprès.

Pourtant, je continuais à m'accrocher, je voulais absolument aller jusqu'au bout — même si je perdais pied, souvent. Les phrases et les scènes s'emmêlaient dans ma tête, comme une pelote de laine tombée entre les pattes d'un chaton joueur. Mais tant pis.

C'est que je la voyais déjà, la bibliothécaire du Blanc-Mesnil, me demandant avec un petit rire moqueur dans la voix, *alors, ce livre, tu l'as lu jusqu'au bout ?* Rien que pour échapper à la scène annoncée, je tenais à aller jusqu'à la dernière page. Je ne voulais pas lui donner le plaisir d'avoir vu juste, tout ça parce que j'avais encore un accent. Pas plus que celui de revenir à la charge avec *Le petit Nicolas* — il n'en était pas question.

Et puis, de toute façon, je le sais bien : on vient toujours à bout d'un chaos de laine, même quand il a été provoqué par le plus fourbe des chatons.

Les robes du Tyrol

C'était mon premier printemps de ce côté-ci de l'Atlantique, un printemps incontestable qui avait pris possession de la Voie-Verte en quelques jours à peine. Du coup, ma mère est partie à la recherche de nouveaux vêtements — il fallait absolument que nous alimentions notre garde-robe avec des habits plus légers.

Un soir, elle a déboulé dans ma chambre avec ses trophées, des jupes et des chemisiers pour elle et Amalia et plein de vêtements que la dame du Secours catholique qui nous connaissait déjà très bien avait soigneusement mis de côté à mon intention.

J'ai eu l'impression que ce sac sortait de la même armoire que celui que ma mère avait ramené deux mois plus tôt, alors que nous étions encore au cœur de l'hiver. Il y avait là-dedans quelques tricots à rayures, un débardeur jaune et marron à losanges et *deux robes très exactement à ta taille* : en tout cas, c'est ce que ma mère a dit.

On aurait dit que les robes en question n'avaient jamais été portées — *tu verras, elles ont encore dans le dos ces petits fils en plastique qui servent à attacher les étiquettes indiquant le prix. Les gens ici se défont de choses neuves, c'est incroyable !* Ma mère s'étonne à chaque fois, et moi avec elle. C'est que de l'autre côté de l'océan, on ne jette rien : les vieilles nappes engendrent des mouchoirs par dizaines et on détricote les pulls devenus trop petits pour en faire des chaussettes.

La première robe du Secours catholique qu'elle a sortie du grand sac était rouge et bleu, avec un grand tablier blanc cousu au niveau de la taille et des petits lacets noirs dans le dos. Ma mère l'a aussitôt identifiée comme *une robe tyrolienne.*

— Pour te rappeler ta semaine dans les Alpes, tu ne pouvais pas rêver mieux !

— Hmm… Et l'autre ?

La deuxième robe n'était peut-être pas *exactement tyrolienne*, d'après ma mère, bien qu'elle ressemblât tout de même beaucoup à l'autre. Elle n'avait pas de tablier incorporé mais elle était couverte de petites fleurs brodées, rouges et roses au niveau du corsage et vertes à partir de la taille et jusqu'au bas de la jupe.

— Ça fait quand même montagne, aussi…

Du fond du sac, ma mère a enfin extrait une paire de sabots, trop petits pour elle et encore trop grands pour moi. Mais, comme elle l'a dit, ils allaient bien finir par être à ma taille : c'est en prévision de ce jour que je les ai glissés sous mon lit.

Tandis que j'enfilais la deuxième robe — celle qui faisait montagne mais pas tout à fait Tyrol — j'avais l'impression que ma mère se retenait de pouffer. Mais apparemment, ce n'était qu'une idée à moi.

— Ce qui me fait sourire, c'est qu'elle te va très bien, cette robe. Si tu te fais des nattes, tu ressembleras à Heidi, a dit ma mère.

J'avais vraiment l'impression qu'elle se moquait de moi, mais elle prétendait qu'il n'en était rien.

— Elle te va à merveille, je t'assure. D'ailleurs, tu devrais la mettre demain.

Il me semblait que la robe à petites fleurs, contrairement à celle au tablier, était plus discrète — en raison de son côté moins franchement *tyrolien*, sans doute.

— D'accord, je la mettrai.

Je me trouvais déjà dans l'allée centrale pour rejoindre Inès quand j'ai vraiment pris conscience, pour les fleurs. Elles étaient minuscules mais il y en avait partout, même sur les manches et sur le ruban qui tenait lieu de ceinture en plein milieu de la robe : entre les petites fleurs rouges et roses qui recouvraient mon torse jusqu'à la naissance du cou et les fleurs vertes qui descendaient jusqu'aux genoux, sur la zone frontalière, quelqu'un avait eu l'idée de placer un bandeau qui faisait alterner les fleurs dans leurs deux versions colorées. J'étais littéralement bardée. Et, alors que j'étais en mouvement, je sentais que, contrairement à ce que nous avions cru la veille, ma mère et moi, la robe des montagnes n'était pas vraiment à ma taille : elle me serrait drôlement au niveau des aisselles. Peut-être était-ce à cause des bourgeons sur ma poitrine — j'avais l'impression qu'ils avaient poussé durant la nuit.

Derrière moi, ce matin-là, Carlos m'a suivie, comme à son habitude. Mais un peu plus loin qu'à l'accoutumée, m'a-t-il semblé, comme si ma robe des Alpes l'avait tenu à distance.

Quand elle m'a vue, Inès s'est aussitôt exclamée :

— Tiens, t'as une nouvelle robe ?

Je n'ai pas répondu. Elle était nouvelle, oui : on ne voyait que ça.

Quand nous avons rejoint Luis, à un moment, j'ai eu l'impression qu'il allait dire quelque chose. Par bonheur, il s'est abstenu.

Quant à Carlos, il est resté silencieux durant tout le trajet. Ma robe à fleurs l'avait vraiment calmé. Voilà que, pour une fois, le scénario matinal changeait un peu.

« Magnolias for ever »

Nadine habite derrière l'école, dans le secteur des petits pavillons. La maison qu'elle occupe avec sa mère et sa grand-mère est au bout d'une allée, derrière une pergola fleurie. C'est le coin le plus joli du Blanc-Mesnil. On dirait un bout de Meudon qui serait venu se perdre là, en plein cœur de la grisaille. Un mercredi, elle m'a invitée chez elle pour le goûter.

Nadine est française, comme Astrid, mais elle parle étrangement, bien plus étrangement que moi, avec mon accent. Parfois, on a du mal à la comprendre et, toute française qu'elle est, il arrive qu'on lui demande aussi de reprendre ses phrases. Ce qui l'énerve encore plus que lorsqu'on me le demande à moi, on dirait. Tout ça, c'est parce qu'elle a un cheveu sur la langue, comme dit toujours Inès — même moi je l'entends, ce cheveu. Nadine zézaye, elle glisse des *z* partout, elle douche toutes les voyelles de sa salive. Et on le lui rappelle tout le temps, au cas où elle l'aurait oublié :

— *Ah, za z'est zûr*, t'as raison Nadine. Mais après je ne sais pas si t'as raison, ma Nado, on n'a rien compris !

Je n'aime pas du tout que l'on se moque d'elle et Nadine le sait, dès que quelqu'un l'imite, je rougis autant qu'elle et toujours en même temps, je ne peux pas m'en empêcher. Il suffit que la colère et la honte montent en elle pour que je les sente aussitôt monter en moi, à chaque fois mes joues deviennent brûlantes et je baisse la tête jusqu'à ce que Nadine trouve le moyen de répliquer — ou de passer à autre chose, ignorant les moqueurs. Je crois que c'est pour cette raison qu'elle m'a invitée chez elle ce mercredi-là. Pourtant, je sais que, au fond, ça me fait un peu plaisir qu'elle parle aussi bizarrement, qu'elle ait ce défaut de prononciation que tout le monde entend. Ces voyelles qu'elle noie dans sa propre écume et qui font pouffer les autres me rendent très triste et me réjouissent en même temps, c'est bizarre : c'est pour tout ça que je l'aime bien, Nadine.

Chez elle, on adore Claude François. Aussi bien pour sa mère et sa grand-mère que pour Nadine, c'est une véritable passion. Mais Claude François est mort l'année dernière, Inès m'a raconté qu'il s'est électrocuté dans sa salle de bains, *mais ne fais jamais allusion à ça devant Nadine, elle serait trop triste*. C'est que dans le petit pavillon, derrière la pergola, personne ne s'en est remis.

Dans l'entrée, un portrait du chanteur repose sur une chaise, juste devant le mur tapissé de fleurs roses et blanches où l'on va bientôt l'accrocher, comme Nadine me l'a expliqué. C'est sa grand-mère qui l'a brodé, au point de croix, dans les mêmes tons pastel que le papier peint fleuri — c'est aussi sa grand-mère qui a peint le cadre en essayant de reproduire les fleurs de la tapisserie, les pétales toujours ouverts vers le visage du chanteur, comme si, sur le cercle de bois qui l'entoure, toutes les fleurs poussaient dans sa direction. Durant quelques instants, Nadine a hissé le portrait jusqu'à l'endroit qui lui a été assigné, elle l'a collé contre le mur pour que je puisse imaginer l'entrée quand le visage de Claude François sera à sa place :

— Ze zera comme za.

Dans sa chambre, ce même visage est sur tous les murs. Les affiches sont tellement nombreuses que leurs bords se chevauchent, parfois. Mais le manque d'espace n'a pas freiné la passion collectionneuse de Nadine : sur les grandes images du chanteur, à l'endroit où le fond sur lequel se détache son visage ne présente pour elle aucun intérêt, Nadine a parfois collé de toutes petites photos de Claude François découpées dans les journaux et dans les magazines.

Et elle a tous ses disques. *Z'ai tout*: elle semblait en être drôlement fière tandis qu'elle recouvrait son lit de dizaines de 45 et de 33 tours. C'est qu'elle a tout Claude François, rien que pour elle, parfois même en double.

Sur l'une des photos qui se trouvent au-dessus du lit de Nadine, Claude François ressemble énormément à Luis, mais en blond, la ressemblance est même troublante : chez l'un comme chez l'autre, les cheveux raides ondulent très légèrement au niveau du cou et s'ouvrent sur le front comme les deux pans d'un rideau portatif. Sans doute lui arrivait-il de se cacher derrière ces tentures de cheveux, comme le fait Luis, parfois, quand Carlos le fait pleurer.

À peine revenue de la cuisine où elle était partie chercher un paquet de barquettes à la fraise, Nadine a fermé la porte et tiré les rideaux de sa chambre : nous étions désormais à l'abri, au cœur de son petit temple. Puis elle a pris quelques disques avant de les empiler les uns sur les autres dans un ordre précis : Nadine savait ce qu'elle voulait écouter et comment ces morceaux devaient s'enchaîner. C'est qu'elle connaît non seulement toutes les chansons de Claude François mais encore leur effet, envie folle de danser ou de se jeter sur un coussin les yeux rivés au plafond, elle a programmé notre après-midi en parfaite connaisseuse du répertoire. En commençant par *Alexandrie Alexandra*, dont elle reprenait les paroles tandis qu'elle dansait devant moi — c'était bizarre, mais on aurait dit que lorsqu'elle chantait sur la voix de Claude François, Nadine ne zozotait plus.

Je regardais Nadine pousser un cri avant de coller ses mains sur la poitrine, comme si elle tirait une corde vers elle, *rah !* — le bruit semblait venir du fond de sa gorge et remplir ses poumons à ras bord. Puis elle lançait les bras en avant comme si elle repoussait la corde au loin, tout en expirant avec un râle : *hah !* Elle était drôle quand elle s'arrêtait brusquement en se déhanchant, une main sur la taille et l'autre sur la cuisse. Elle me regardait en souriant avant de secouer les fesses un bon coup puis de repartir en trombe.

— Tu ne danzes pas ?

Moi, je faisais non de la tête, mais j'ajoutais aussitôt un signe de la main pour lui dire de continuer. C'est que j'aimais bien la regarder.

Une fois la première chanson finie, pourtant, après avoir dansé avec tant d'entrain, Nadine s'est assombrie, d'un coup. C'est que nous avions changé de registre, *Comme d'habitude* était la chanson idéale pour se laisser aller aux confidences. Du coup, elle s'est laissé retomber sur son lit en m'invitant d'un geste à faire de même, à côté d'elle.

— Ah, z'était affreux, affreux, on a tellement pleuré, ma mère et moi. Et ma grand-mère ! Ze te dis pas, elle était désezpérée…

Ce *désezpérée* m'a aussi émue. C'est que nous

communiquons étrangement Nadine et moi : j'ai senti mes yeux se remplir de larmes en même temps que les siens. Oui, ça a vraiment dû être terrible derrière la pergola.

Mais soudain, Nadine a paru très agitée. Elle s'est redressée d'un coup et s'est mise à faire de grands gestes tandis qu'elle me regardait avec ses yeux humides, puis elle a pressé une main sur ses lèvres comme pour s'empêcher de crier d'effroi. Pourtant, aucun son ne sortait de sa bouche, pas même un soupir — c'est qu'il n'y avait pas de mots pour dire ce qu'elle éprouvait, elle était littéralement débordée à l'intérieur. Je ne savais pas quoi faire pour la consoler, je n'avais pas plus de mots qu'elle, alors je me suis également levée pour la prendre dans mes bras. Devant le chanteur disparu qui, aux quatre coins de la pièce, avait tous ses yeux rivés sur nous.

Assez vite, Nadine a retrouvé son souffle. Alors elle a quitté mes bras pour glisser un nouveau 45 tours dans son mange-disque, quelque chose de dansant, cette fois.

— Toi auzi, tu as été très trizte quand il est mort, pas vrai ?

— Je n'étais pas en France à ce moment-là, je suis arrivée après la mort de Claude François.

— Tu n'étais pas là quand il était vivant ?

Elle semblait pourtant s'être ressaisie depuis qu'elle avait changé de disque, mais Nadine, malgré le morceau dansant qu'on entendait à ce moment-là, a eu de nouveau l'air effondrée.

Elle s'est approchée de moi et elle m'a pris la main, comme si c'était à présent son tour de me consoler.

— Tu ne l'as pas connu, tu es venue après za mort ? ...

Ses yeux semblaient une nouvelle fois humides, mais ce qui la rendait triste, désormais, c'est que j'aie pu rater cette époque-là, le temps où Claude François était de ce monde. Que je sois venue après, trop tard.

— Mais tu connais zes chanzons ?

J'ai préféré mentir un petit peu, je ne voulais pas l'accabler davantage.

— J'en connais plusieurs, oui...

C'est *Magnolias for ever* que nous étions en train d'écouter : le nom était écrit en caractères roses sur la pochette, juste au-dessus de la tête du chanteur avec ses rideaux de cheveux blonds.

— Celle-là, justement, c'est ma préférée !

C'était vrai, en plus : je l'ai tout de suite aimée, cette chanson. Pour l'en convaincre, cette fois, c'est moi qui me suis mise à danser, les paumes grandes ouvertes, les doigts pointés vers le ciel.

Mes tuyaux

Durant mes premiers mois en France, je me suis souvent demandé comment ça se passait dans la tête des gens qui parlent français depuis toujours.

Plusieurs fois, il m'est arrivé de vivre une même scène, à l'identique. Je me trouvais face à quelqu'un qui, d'un coup, se mettait à parler français à toute allure, bien trop vite pour moi. Les phrases s'accumulant dans ma tête sans que je puisse les saisir, j'essayais dans un premier temps de me raccrocher aux mots que je connaissais, je tentais d'établir des liens entre eux pour faire un sort à tous ceux qui demeuraient dans l'ombre. J'émettais mentalement des hypothèses. Déjà, plusieurs interprétations me paraissaient possibles, j'entrevoyais différentes issues. Mais tandis que je réfléchissais encore à ce qui avait précédé, voilà que la personne qui était en train de parler lançait de nouvelles salves de français, encore plus rapides. Trois, quatre nouvelles décharges et je perdais pied, j'étais complètement noyée. Il m'était alors impossible de m'agripper à quoi que ce soit, je ne distinguais plus rien, même les mots qui m'étaient depuis longtemps familiers finissaient par se perdre dans le flot de tous ceux qui m'échappaient. Tantôt, j'avais l'impression d'être emportée avec eux, tantôt, bien au contraire, d'en être définitivement exclue : comme étrangère à la scène, je les voyais s'éloigner dans le torrent de cette langue qui ne voulait pas de moi, tandis que je restais, impuissante, sur la rive. C'est toujours à ce moment-là que je me demandais comment c'était possible, comment c'était fait, au juste, dans la tête de l'autre. *Par où ça passe ?*

Même si depuis un ou deux mois je ne perdais plus pied de cette manière, un soir du mois de mai, encore une fois, j'y ai longuement pensé avant de m'endormir.

J'étais dans mon lit, la lumière éteinte. Tandis que j'essayais de distinguer dans la pénombre les tuyaux du papier peint de ma chambre, d'en suivre le dessin du bout des doigts, de nouveau, j'essayais de comprendre : c'est comment dans la tête d'Astrid ? Et dans celle de Nadine ? Comment font-elles pour penser en français puis pour parler aussitôt, dans un même mouvement ? Comment il est fait, ce circuit ? *Par où ça passe ?* J'avais l'impression que je n'allais jamais trouver l'ouverture de ces tuyaux-là — et, comme à chaque fois que je pensais à ces canalisations dans lesquelles je n'arrivais pas à me glisser, ça m'a même rendue drôlement triste.

C'est que, même si je parlais de mieux en mieux, même si les mots qui m'échappaient étaient chaque jour moins nombreux, pour moi, ça se passait toujours en deux temps. Il était là le problème, je le savais bien : moi, je pensais toujours en espagnol, puis je traduisais mentalement ce que je voulais dire avant d'ouvrir la bouche. À chaque fois, je faisais une sorte de résumé pour ne pas alourdir la tâche. C'était ça, ce qui n'allait pas : pour trouver l'entrée des tuyaux, il faut y aller franco — sans détours.

Mais un jour, pour la première fois, j'ai pensé en français. Sans m'en rendre compte, comme ça. J'ai pensé et parlé en français *en même temps.*

C'est arrivé un matin, très tôt — pourtant, il faisait déjà jour : nous étions, je crois, au mois de juin. La lumière pénétrait dans ma chambre par la fenêtre sans rideaux donnant sur l'allée. Sur les murs, les canalisations couleur crème avaient des reflets dorés qui me parvenaient par la fente minuscule de l'œil que j'essayais d'ouvrir. J'étais entre la veille et le sommeil, la tête encore posée sur les *Fleurs bleues* dont j'avais justement fini la lecture la veille au soir — j'avais au moins un mois de retard à la bibliothèque du Blanc-Mesnil, mais j'étais tellement contente de pouvoir y retourner après être arrivée au bout de l'épreuve. De pouvoir l'annoncer à la bibliothécaire, surtout — en m'endormant, la veille, rien qu'à imaginer la scène, je jubilais d'avance, c'est pour cela que j'avais gardé le livre tout près de moi.

Ça s'est passé un matin, donc. Ma mère se préparait à quitter la boîte à tuyaux du salon — là où tout est orange, marron et jaune — pour aller s'occuper des enfants de *Claparède*. Elle était en train de rassembler ses affaires, tandis que moi, à côté des canalisations que la lumière du matin dorait légèrement, j'avais la tête posée sur *Les fleurs bleues* de Raymond Queneau. C'est alors que, soudain, je me suis entendue demander à ma mère, depuis mon lit : *tu m'as laissé les clés ?*

Elle était tellement surprise ! C'est que je ne suis pas en train de traduire tout ça pour vous le raconter, non. C'est vraiment ainsi que j'ai posé la question à ma mère, et pas autrement : *tu m'as laissé les clés ?*

Moi aussi j'étais stupéfaite, et comment !

Par quel canal ces mots avaient-ils bien pu arriver jusqu'à mes lèvres, sans prévenir ? Par où étaient-ils passés ?

— *¡Hablaste en francés !*

Ma mère s'est étonnée en espagnol : *tu as parlé en français !*

C'est vrai que c'était bizarre.

J'étais émerveillée et effarée à la fois.

Ma surprise était telle qu'elle m'a entièrement tirée de mon sommeil, d'un coup. Je suis restée un long moment les yeux fixés sur les tuyaux de ma chambre. Pour la première fois, dans ma tête, je n'avais pas traduit. J'avais trouvé l'ouverture.

Sans crier gare, ce matin-là, je m'étais faufilée dans ces tuyaux que, longtemps, j'avais crus inaccessibles.

Lundi

C'est très précisément la semaine suivante que j'ai réussi à glisser dans mon enveloppe du lundi l'image que mon père attendait depuis de si longs mois : je ne sais pas très bien quel est le rapport avec mes tuyaux, ce qui est certain, c'est que c'est après m'y être faufilée que j'ai pu choisir la cinquième photo tant de fois réclamée.

L'élue paraissait idéale, elle ressemblait beaucoup à la photo que mon père avait souvent imaginée, par écrit. Aujourd'hui encore, je l'ai toujours en mémoire.

On nous y voit ensemble, ma mère et moi — ce qui ferait pour mon père deux photos en une, exactement comme il voulait. Nous ne sommes pas trop près de l'objectif mais pas trop loin non plus — je crois même pouvoir dire qu'il s'agit d'un *vrai plan américain*, tel que mon père le désirait. On voit bien le visage de ma mère et le mien, de face, et une partie de nos corps, jusqu'à mi-cuisse pour elle — mais un peu moins pour moi, car je suis plus petite. Nous sommes adossées au mur, de part et d'autre de la fenêtre ouverte qui laisse voir un peu la cité. Mon père allait enfin savoir à quoi ressemblait la Voie-Verte : un chemin entre des immeubles gris et un bac à sable. Ma mère a les cheveux défaits alors que les miens sont serrés en deux longues tresses, mais je ne porte pas de robe tyrolienne. Bien sûr, les tuyaux sont là, rien qu'un peu, pourtant. Juste histoire de poser le décor.

Cette photo, j'étais presque sûre qu'elle allait lui plaire. D'autant plus qu'il n'y avait pas d'inconnu sur l'image, aucun invité surprise que l'on aurait pu distinguer à l'extérieur, sur l'allée de la Voie-Verte. Pas même le reflet d'Amalia dans la vitre de la fenêtre, alors que c'est elle qui était derrière l'appareil le jour où nous avons posé pour la cinquième photo. Oui, cette image-là avait toutes les chances de son côté. Elle devait pouvoir échapper aux ciseaux des gardiens.

Je me souviens de l'avoir glissée dans l'enveloppe comme si de rien n'était, sans donner d'explication sur cette si longue attente, pas plus que sur mon silence persistant. Comme si tout ce temps avait été nécessaire pour que la photo apparaisse, enfin.

Je crois que dans la lettre de ce lundi-là, celle qui contenait la cinquième photo, je lui ai raconté pour ces mots français qui étaient sortis de ma bouche sans que j'aie eu à y penser. Et que j'ai enfin osé parler à mon père du livre de Queneau. Mais rien qu'un peu.

C'est que, même si j'étais arrivée au bout de ma lecture, je savais très bien, au fond, que je n'y avais pas compris grand-chose. J'avais avalé les mots et les phrases, j'avais ingurgité le livre jusqu'à la dernière ligne. Mais ce qui m'en était resté, au final, demeurait assez confus... Pourtant, alors que tant de choses m'avaient échappé, j'avais l'impression que ce livre avait fini par faire effet, à sa manière.

C'est pour ça que, dans un sens, on pouvait penser que la bibliothécaire avait raison. Mais au fond, elle avait tort. Elle avait même complètement tort : c'est parce que j'en étais persuadée que j'avais très envie de dire quelque chose à propos de ce livre. Rien de trop précis, toutefois, autrement, à coup sûr, il y aurait dans ma lettre beaucoup de bêtises. Mais quelque chose tout de même.

Alors j'ai simplement dit à mon père que j'avais aimé autant l'histoire de Cidrolin que celle du duc d'Auge, et que j'étais bien contente qu'à la fin ils aient pu se rencontrer pour bavarder un peu : ça, j'en étais sûre, c'était dans le livre.

Puis j'ai traduit pour lui, en espagnol, la dernière phrase du roman — d'abord, parce que c'était plus prudent que d'en raconter davantage, mais aussi parce qu'elle me semblait vraiment parfaite. C'est que les fleurs annoncées y avaient enfin fait leur apparition : au bout de deux cent soixante-dix pages, elles avaient fini par débarquer ! Même si tant de choses étaient pour moi restées dans l'ombre, même si ça avait été si difficile d'aller jusqu'au bout de ma lecture, dès que j'ai lu cette phrase je me suis dit qu'elle valait à elle seule toute cette peine :

Une couche de vase couvrait encore la terre, mais, ici et là, s'épanouissaient déjà de petites fleurs bleues.

Ce livre est né de quelques souvenirs persistants bien que parfois confus, d'une poignée de photos et d'une longue correspondance dont il ne subsiste qu'une voix : les lettres que mon père m'a envoyées après mon départ de l'Argentine, où il était prisonnier politique depuis plusieurs années déjà. Entre le mois de janvier 1979 et le moment où il a pu à son tour quitter l'Argentine, nous nous sommes écrit une fois par semaine — mes lettres ont disparu, mais je conserve les siennes. La première d'entre elles est datée du 21 janvier 1979, la dernière du 21 septembre 1981, soit quelques semaines après sa libération. Durant toutes ces années, je les avais gardées avec moi sans avoir le courage ni la force de les relire. Je l'ai fait durant le printemps 2012.

Merci à Jean-Baptiste pour son soutien et sa patience. À Hélène, tourbillon espiègle dont le regard et le sourire ont inspiré beaucoup de ces pages. À Augustin et Émilien, pour la joie qu'ils m'apportent. Et à Cathy, la meilleure des amies et la plus exigeante des lectrices, à qui, encore une fois, je dois beaucoup.

Sous mon nez	11
Presque vrai	19
Quartier latin	23
« Claparède »	29
Loulou	37
La cinquième photo	49
Tuyaux	59
Un œil de poupée	63
On veut du rab' !	69
Un scénario bien rodé	75
« Les fleurs bleues »	81
Tables basses	89
« Señorita »	103
Les enfants réfugiés, c'est nous !	107
Les robes du Tyrol	119
« Magnolias for ever »	123
Mes tuyaux	131
Lundi	137

DU MÊME AUTEUR

Aux Éditions Gallimard

MANÈGES. PETITE HISTOIRE ARGENTINE, 2007 (Folio n° 5883)

JARDIN BLANC, 2009

LES PASSAGERS DE L'*ANNA C.*, 2012

LE BLEU DES ABEILLES, 2013 (Folio n° 6006), prix littéraire des Rotary Clubs de langue française 2013 et prix de soutien de la Fondation Del Duca 2013

COLLECTION FOLIO

Dernières parutions

6345. Timothée de Fombelle	*Vango, II. Un prince sans royaume*
6346. Karl Ove Knausgaard	*Jeune homme, Mon combat III*
6347. Martin Winckler	*Abraham et fils*
6348. Paule Constant	*Des chauves-souris, des singes et des hommes*
6349. Marie Darrieussecq	*Être ici est une splendeur*
6350. Pierre Deram	*Djibouti*
6351. Elena Ferrante	*Poupée volée*
6352. Jean Hatzfeld	*Un papa de sang*
6353. Anna Hope	*Le chagrin des vivants*
6354. Eka Kurniawan	*L'homme-tigre*
6355. Marcus Malte	*Cannisses* suivi de *Far west*
6356. Yasmina Reza	*Théâtre : Trois versions de la vie / Une pièce espagnole / Le dieu du carnage / Comment vous racontez la partie*
6357. Pramoedya Ananta Toer	*La Fille du Rivage. Gadis Pantai*
6358. Sébastien Raizer	*Petit éloge du zen*
6359. Pef	*Petit éloge de lecteurs*
6360. Marcel Aymé	*Traversée de Paris*
6361. Virginia Woolf	*En compagnie de Mrs Dalloway*
6362. Fédor Dostoïevski	*Un petit héros. Extrait de mémoires anonymes*
6363. Léon Tolstoï	*Les Insurgés. Cinq récits sur le tsar et la révolution*
6364. Cioran	*Pensées étranglées* précédé du *Mauvais démiurge*

6365. Saint Augustin	*L'aventure de l'esprit et autres confessions*
6366. Simone Weil	*Pensées sans ordre concernant l'amour de Dieu et autres textes*
6367. Cicéron	*Comme il doit en être entre honnêtes hommes...*
6368. Victor Hugo	*Les Misérables*
6369. Patrick Autréaux	*Dans la vallée des larmes* suivi de *Soigner*
6370. Marcel Aymé	*Les contes du chat perché*
6371. Olivier Cadiot	*Histoire de la littérature récente (tome 1)*
6372. Albert Camus	*Conférences et discours 1936-1958*
6373. Pierre Raufast	*La variante chilienne*
6374. Philip Roth	*Laisser courir*
6375. Jérôme Garcin	*Nos dimanches soir*
6376. Alfred Hayes	*Une jolie fille comme ça*
6377. Hédi Kaddour	*Les Prépondérants*
6378. Jean-Marie Laclavetine	*Et j'ai su que ce trésor était pour moi*
6379. Patrick Lapeyre	*La Splendeur dans l'herbe*
6380. J.M.G. Le Clézio	*Tempête*
6381. Garance Meillon	*Une famille normale*
6382. Benjamin Constant	*Journaux intimes*
6383. Soledad Bravi	*Bart is back*
6384. Stephanie Blake	*Comment sauver son couple en 10 leçons (ou pas)*
6385. Tahar Ben Jelloun	*Le mariage de plaisir*
6386. Didier Blonde	*Leïlah Mahi 1932*
6387. Velibor Čolić	*Manuel d'exil. Comment réussir son exil en trente-cinq leçons*
6388. David Cronenberg	*Consumés*
6389. Éric Fottorino	*Trois jours avec Norman Jail*
6390. René Frégni	*Je me souviens de tous vos rêves*
6391. Jens Christian Grøndahl	*Les Portes de Fer*

6392. Philippe Le Guillou	*Géographies de la mémoire*
6393. Joydeep Roy-Bhattacharya	*Une Antigone à Kandahar*
6394. Jean-Noël Schifano	*Le corps de Naples. Nouvelles chroniques napolitaines*
6395. Truman Capote	*New York, Haïti, Tanger et autres lieux*
6396. Jim Harrison	*La fille du fermier*
6397. J.-K. Huysmans	*La Cathédrale*
6398. Simone de Beauvoir	*Idéalisme moral et réalisme politique*
6399. Paul Baldenberger	*À la place du mort*
6400. Yves Bonnefoy	*L'écharpe rouge* suivi de *Deux scènes et notes conjointes*
6401. Catherine Cusset	*L'autre qu'on adorait*
6402. Elena Ferrante	*Celle qui fuit et celle qui reste. L'amie prodigieuse III*
6403. David Foenkinos	*Le mystère Henri Pick*
6404. Philippe Forest	*Crue*
6405. Jack London	*Croc-Blanc*
6406. Luc Lang	*Au commencement du septième jour*
6407. Luc Lang	*L'autoroute*
6408. Jean Rolin	*Savannah*
6409. Robert Seethaler	*Une vie entière*
6410. François Sureau	*Le chemin des morts*
6411. Emmanuel Villin	*Sporting Club*
6412. Léon-Paul Fargue	*Mon quartier et autres lieux parisiens*
6413. Washington Irving	*La Légende de Sleepy Hollow*
6414. Henry James	*Le Motif dans le tapis*
6415. Marivaux	*Arlequin poli par l'amour et autres pièces en un acte*
6417. Vivant Denon	*Point de lendemain*
6418. Stefan Zweig	*Brûlant secret*
6419. Honoré de Balzac	*La Femme abandonnée*
6420. Jules Barbey d'Aurevilly	*Le Rideau cramoisi*

6421. Charles Baudelaire	*La Fanfarlo*
6422. Pierre Loti	*Les Désenchantées*
6423. Stendhal	*Mina de Vanghel*
6424. Virginia Woolf	*Rêves de femmes. Six nouvelles*
6425. Charles Dickens	*Bleak House*
6426. Julian Barnes	*Le fracas du temps*
6427. Tonino Benacquista	*Romanesque*
6428. Pierre Bergounioux	*La Toussaint*
6429. Alain Blottière	*Comment Baptiste est mort*
6430. Guy Boley	*Fils du feu*
6431. Italo Calvino	*Pourquoi lire les classiques*
6432. Françoise Frenkel	*Rien où poser sa tête*
6433. François Garde	*L'effroi*
6434. Franz-Olivier Giesbert	*L'arracheuse de dents*
6435. Scholastique Mukasonga	*Cœur tambour*
6436. Herta Müller	*Dépressions*
6437. Alexandre Postel	*Les deux pigeons*
6438. Patti Smith	*M Train*
6439. Marcel Proust	*Un amour de Swann*
6440. Stefan Zweig	*Lettre d'une inconnue*
6441. Montaigne	*De la vanité*
6442. Marie de Gournay	*Égalité des hommes et des femmes* et autres textes
6443. Lal Ded	*Dans le mortier de l'amour j'ai enseveli mon cœur...*
6444. Balzac	*N'ayez pas d'amitié pour moi, j'en veux trop*
6445. Jean-Marc Ceci	*Monsieur Origami*
6446. Christelle Dabos	*La Passe-miroir, Livre II. Les disparus du Clairdelune*
6447. Didier Daeninckx	*Missak*
6448. Annie Ernaux	*Mémoire de fille*
6449. Annie Ernaux	*Le vrai lieu*
6450. Carole Fives	*Une femme au téléphone*
6451. Henri Godard	*Céline*
6452. Lenka Horňáková-Civade	*Giboulées de soleil*

6453. Marianne Jaeglé	*Vincent qu'on assassine*
6454. Sylvain Prudhomme	*Légende*
6455. Pascale Robert-Diard	*La Déposition*
6456. Bernhard Schlink	*La femme sur l'escalier*
6457. Philippe Sollers	*Mouvement*
6458. Karine Tuil	*L'insouciance*
6459. Simone de Beauvoir	*L'âge de discrétion*
6460. Charles Dickens	*À lire au crépuscule et autres histoires de fantômes*
6461. Antoine Bello	*Ada*
6462. Caterina Bonvicini	*Le pays que j'aime*
6463. Stefan Brijs	*Courrier des tranchées*
6464. Tracy Chevalier	*À l'orée du verger*
6465. Jean-Baptiste Del Amo	*Règne animal*
6466. Benoît Duteurtre	*Livre pour adultes*
6467. Claire Gallois	*Et si tu n'existais pas*
6468. Martha Gellhorn	*Mes saisons en enfer*
6469. Cédric Gras	*Anthracite*
6470. Rebecca Lighieri	*Les garçons de l'été*
6471. Marie NDiaye	*La Cheffe, roman d'une cuisinière*
6472. Jaroslav Hašek	*Les aventures du brave soldat Švejk*
6473. Morten A. Strøksnes	*L'art de pêcher un requin géant à bord d'un canot pneumatique*
6474. Aristote	*Est-ce tout naturellement qu'on devient heureux ?*
6475. Jonathan Swift	*Résolutions pour quand je vieillirai et autres pensées sur divers sujets*
6476. Yājñavalkya	*Âme et corps*
6477. Anonyme	*Livre de la Sagesse*
6478. Maurice Blanchot	*Mai 68, révolution par l'idée*
6479. Collectif	*Commémorer Mai 68 ?*
6480. Bruno Le Maire	*À nos enfants*
6481. Nathacha Appanah	*Tropique de la violence*

6482. Erri De Luca — *Le plus et le moins*
6483. Laurent Demoulin — *Robinson*
6484. Jean-Paul Didierlaurent — *Macadam*
6485. Witold Gombrowicz — *Kronos*
6486. Jonathan Coe — *Numéro 11*
6487. Ernest Hemingway — *Le vieil homme et la mer*
6488. Joseph Kessel — *Première Guerre mondiale*
6489. Gilles Leroy — *Dans les westerns*
6490. Arto Paasilinna — *Le dentier du maréchal, madame Volotinen et autres curiosités*
6491. Marie Sizun — *La gouvernante suédoise*
6492. Leïla Slimani — *Chanson douce*
6493. Jean-Jacques Rousseau — *Lettres sur la botanique*
6494. Giovanni Verga — *La Louve et autres récits de Sicile*
6495. Raymond Chandler — *Déniche la fille*
6496. Jack London — *Une femme de cran* et autres nouvelles
6497. Vassilis Alexakis — *La clarinette*
6498. Christian Bobin — *Noireclaire*
6499. Jessie Burton — *Les filles au lion*
6500. John Green — *La face cachée de Margo*
6501. Douglas Coupland — *Toutes les familles sont psychotiques*
6502. Elitza Gueorguieva — *Les cosmonautes ne font que passer*
6503. Susan Minot — *Trente filles*
6504. Pierre-Etienne Musson — *Un si joli mois d'août*
6505. Amos Oz — *Judas*
6506. Jean-François Roseau — *La chute d'Icare*
6507. Jean-Marie Rouart — *Une jeunesse perdue*
6508. Nina Yargekov — *Double nationalité*
6509. Fawzia Zouari — *Le corps de ma mère*
6510. Virginia Woolf — *Orlando*
6511. François Bégaudeau — *Molécules*
6512. Élisa Shua Dusapin — *Hiver à Sokcho*

6513. Hubert Haddad	*Corps désirable*
6514. Nathan Hill	*Les fantômes du vieux pays*
6515. Marcus Malte	*Le garçon*
6516. Yasmina Reza	*Babylone*
6517. Jón Kalman Stefánsson	*À la mesure de l'univers*
6518. Fabienne Thomas	*L'enfant roman*
6519. Aurélien Bellanger	*Le Grand Paris*
6520. Raphaël Haroche	*Retourner à la mer*
6521. Angela Huth	*La vie rêvée de Virginia Fly*
6522. Marco Magini	*Comme si j'étais seul*
6523. Akira Mizubayashi	*Un amour de Mille-Ans*
6524. Valérie Mréjen	*Troisième Personne*
6525. Pascal Quignard	*Les Larmes*
6526. Jean-Christophe Rufin	*Le tour du monde du roi Zibeline*
6527. Zeruya Shalev	*Douleur*
6528. Michel Déon	*Un citron de Limone* suivi d'*Oublie...*
6529. Pierre Raufast	*La baleine thébaïde*
6530. François Garde	*Petit éloge de l'outre-mer*
6531. Didier Pourquery	*Petit éloge du jazz*
6532. Patti Smith	*« Rien que des gamins ». Extraits de Just Kids*
6533. Anthony Trollope	*Le Directeur*
6534. Laura Alcoba	*La danse de l'araignée*
6535. Pierric Bailly	*L'homme des bois*
6536. Michel Canesi et Jamil Rahmani	*Alger sans Mozart*
6537. Philippe Djian	*Marlène*
6538. Nicolas Fargues et Iegor Gran	*Écrire à l'élastique*
6539. Stéphanie Kalfon	*Les parapluies d'Erik Satie*
6540. Vénus Khoury-Ghata	*L'adieu à la femme rouge*
6541. Philippe Labro	*Ma mère, cette inconnue*
6542. Hisham Matar	*La terre qui les sépare*
6543. Ludovic Roubaudi	*Camille et Merveille*
6544. Elena Ferrante	*L'amie prodigieuse (série tv)*
6545. Philippe Sollers	*Beauté*

6546. Barack Obama	*Discours choisis*
6547. René Descartes	*Correspondance avec Élisabeth de Bohême et Christine de Suède*
6548. Dante	*Je cherchais ma consolation sur la terre...*
6549. Olympe de Gouges	*Lettre au peuple et autres textes*
6550. Saint François de Sales	*De la modestie et autres entretiens spirituels*
6551. Tchouang-tseu	*Joie suprême et autres textes*
6552. Sawako Ariyoshi	*Les dames de Kimoto*
6553. Salim Bachi	*Dieu, Allah, moi et les autres*
6554. Italo Calvino	*La route de San Giovanni*
6555. Italo Calvino	*Leçons américaines*
6556. Denis Diderot	*Histoire de Mme de La Pommeraye* précédé de l'essai *Sur les femmes.*
6557. Amandine Dhée	*La femme brouillon*
6558. Pierre Jourde	*Winter is coming*
6559. Philippe Le Guillou	*Novembre*
6560. François Mitterrand	*Lettres à Anne. 1962-1995. Choix*
6561. Pénélope Bagieu	*Culottées Livre I – Partie 1. Des femmes qui ne font que ce qu'elles veulent*
6562. Pénélope Bagieu	*Culottées Livre I – Partie 2. Des femmes qui ne font que ce qu'elles veulent*
6563. Jean Giono	*Refus d'obéissance*
6564. Ivan Tourguéniev	*Les Eaux tranquilles*
6565. Victor Hugo	*William Shakespeare*
6566. Collectif	*Déclaration universelle des droits de l'homme*
6567. Collectif	*Bonne année ! 10 réveillons littéraires*
6568. Pierre Adrian	*Des âmes simples*
6569. Muriel Barbery	*La vie des elfes*

6570. Camille Laurens	*La petite danseuse de quatorze ans*
6571. Erri De Luca	*La nature exposée*
6572. Elena Ferrante	*L'enfant perdue. L'amie prodigieuse IV*
6573. René Frégni	*Les vivants au prix des morts*
6574. Karl Ove Knausgaard	*Aux confins du monde. Mon combat IV*
6575. Nina Leger	*Mise en pièces*
6576. Christophe Ono-dit-Biot	*Croire au merveilleux*
6577. Graham Swift	*Le dimanche des mères*
6578. Sophie Van der Linden	*De terre et de mer*
6579. Honoré de Balzac	*La Vendetta*
6580. Antoine Bello	*Manikin 100*
6581. Ian McEwan	*Mon roman pourpre aux pages parfumées* et autres nouvelles
6582. Irène Némirovsky	*Film parlé*
6583. Jean-Baptiste Andrea	*Ma reine*
6584. Mikhaïl Boulgakov	*Le Maître et Marguerite*
6585. Georges Bernanos	*Sous le soleil de Satan*
6586. Stefan Zweig	*Nouvelle du jeu d'échecs*
6587. Fédor Dostoïevski	*Le Joueur*
6588. Alexandre Pouchkine	*La Dame de pique*
6589. Edgar Allan Poe	*Le Joueur d'échecs de Maelzel*
6590. Jules Barbey d'Aurevilly	*Le Dessous de cartes d'une partie de whist*
6592. Antoine Bello	*L'homme qui s'envola*
6593. François-Henri Désérable	*Un certain M. Piekielny*
6594. Dario Franceschini	*Ailleurs*
6595. Pascal Quignard	*Dans ce jardin qu'on aimait*
6596. Meir Shalev	*Un fusil, une vache, un arbre et une femme*
6597. Sylvain Tesson	*Sur les chemins noirs*
6598. Frédéric Verger	*Les rêveuses*
6599. John Edgar Wideman	*Écrire pour sauver une vie. Le dossier Louis Till*
6600. John Edgar Wideman	*La trilogie de Homewood*

Composition : IGS-CP à L'Isle-d'Espagnac (16)
Achevé d'imprimer par Novoprint
le 3 octobre 2019
Dépôt légal : octobre 2019
Premier dépôt légal dans la collection : septembre 2015

ISBN : 978-2-07-046597-2/Imprimé en Espagne

363868